오늘밤은 왠지,
이 말이 하고 싶었습니다.

오늘밤은 왠지, 이 말이 하고 싶었습니다.

주경원
리유아
임주현
성지예
유일한
묘 리
김단단
박규호

글Egd

　여러분들의 밤은 어떤 가요? 아마 이 책을 고른 많은 분이 생각이 많은 밤을 지새운 분들이라 생각합니다. 자기 챙기기도 바쁜데 내 주변과 사회, 세상은 우리를 더 괴롭게 합니다. 저도 그중 한 명입니다. 그런 와중에 우연히 여덟 명이 모여 글을 쓰게 되었습니다.

　"오늘 밤은 왠지, 이 말이 하고 싶었습니다" 이 책은 나의 이야기, 생각, 세계관 등 여러 주제가 모여 하나가 된 책입니다. 자유롭게 쌓아 올린 여덟 명의 화음은 다를 것 같지만 잘 어우러져 세상으로 나오게 됐습니다.

　이 책은 정답이나 공식을 알려주지 않습니다. 그러니 저희와 같이 즐기고 느껴주세요. 그럼, 이제 여덟 명의 밤 구경하러 가보실까요?

- 공동저자 中 유일한

차 례

숨비소리

주경원

주경원　　달달한 까눌레를 먹거나 제주도에 가기를 좋아한다.

작은 책방에 가서 멋진 문장 찾기를 좋아한다.

휘익. 정체 모를 휘파람 소리를 들었다. 제주도 성산으로 가족 여행을 떠난 지난 여름이었다. 너른 해안이 펼쳐진 도로를 따라 드라이브하던 중, 나직이 들려온 소리가 귓가를 간지럽혔다. 주위를 둘러봐도 휘파람을 부는 사람은 없었다. 아빠는 돌고래 소리일 것이라고 했다. 자연의 소리라기엔 길고 불규칙한 소리가 서너 번 더 바람에 실려왔다.

나중에 이야기를 들은 지혜는, 그건 바람이 아니라 파도에 실려 온 소리라고 했다. '숨비소리'라는 이름이랬다. 해녀들이 잠수 후 물 밖으로 나오면서 숨을 고르는 소리. 제주도에서 나고 자라 서울로 대학을 온 지혜는, 지방 출신 학생들 중에서도 유난히 제 고향을 좋아했다. 그렇게도 좋았는지, 2주 전 갑작스레 제주로 떠난 지혜였다. 나는 골백번은 본 핸드폰을 다시 집었다. 카톡을 한참 내리자, 지혜와의 채팅방이 나타났다. 항상 상단에 있었는데. 없어지지 않는 1을 노려보았다. 카톡도, 전화도 되지 않은 채로 2주째, 이 정도면 나와 연락을 끊을 셈인 게 분명했다. 이제는 정말로 아르바이트를 가야 했다. 유난히 더운

한 주가 이어지고 있었고, 미리 일회용 컵에 얼음을 채우고 샷을 내려두어야 정신없는 점심시간을 대비할 수 있었다.

준비를 마치고 집을 나서려던 찰나, 눈을 의심할 전화가 왔다. 김지혜. 드디어 더위를 먹었나, 다시 봐도 김지혜다. 뭐라고 첫 마디를 꺼내야 하나. 전화벨은 끊어질 듯 말 듯 이어졌다. 이번이 아니면, 다음 전화는 두 주는 더 기다려야 하지 않을까.

"여보세요." 수화기 너머로 낯선 남자의 목소리가 들렸다.

"무슨 일로 전화하셨어요? 저 지혜 누나 동생인데, 전화도 와 있고, 보니까 카톡도 계속 오는 것 같길래 무슨 일 있나 해서 연락드렸어요. 공모전 일이면 좀 어려울 것 같아요, 누나 지금 병원이라."

그는 나를 누나가 참여 중인 수많은 공모전의 팀원 중 하나라고 생각하는 것 같았다. 내가 아는 것만도 마감이 코앞인 공모전이 두어 개는 있었다. 굳이 동생에게 내가 영문도 모르게 차인, 누나와 사시사철 붙어 다니던 대학 동기임을 밝히고 싶지는 않았다. 짐짓 어느 공모전의 팀원인 척하고 지혜의 상황을 물었다. 동생의 말은 이러했다. 어머니와 자신이 식당에 나가 있던 사이, 갑자기 바다에 나갔다가 몸에 이상이 생겼다고. 다치진 않았는데, 어지럼증과 두통이 큰 걸 보니 잠수병이어서 하루 이틀은 쉬어야 한다고 했다.

무작정 지혜에게 가고 싶었다. 내가 생각하기에도 충동적이기 그지없었다. 제주로 가는 가장 빠른 비행기를 끊으면서도, 사장님께 사정해 아르바이트를 빼면서도 알 수 없었다. 아마 난 궁금했던 것 같다. 무어가 그리 급하길래 허겁지겁 제주로 피해야 했는지. 오는 비행기는 일주일 후로 끊었다. 그때가 뭇값이 제일 쌌다.

지혜의 반응이 걱정되기 시작했다. 이미 비행기는 이륙을 시도하고 있었다. 내가 제주에 도착했다고 연락하면, 반갑다는 표시보다는 왜 여기까지 왔냐는 말을 내뱉을 지혜였다. 내가 차이기 전이라도 그랬을 것이었다. 그건 지혜의 표현 방식이었다. 나는 첫 만남에서 그걸 알 수 있었다.

지혜를 처음 만난 건 스무 살, 경영학과 OT 자리에서였다. 여기저기 술에 쩔은 시체가 생기기 시작한 늦은 밤, 게임을 하면서 자리를 돌고 돌다 지혜를 만났다. 곧 토할 것 같은 벌게진 얼굴이길래 술 대신 물을 따랐다. 반응은 고맙다는 말은커녕 뭐야, 나 괜찮은데, 였다. 취기 어린 허세라고 생각했지만, 지혜는 내가 지쳐서 부엌에서 쉬고 있을 때까지 누구보다 열심히 게임에 참여했다. 지혜는 선배 대부분이 흥을 이기지 못하고 거나하게 뻗은 새벽이 되어서야 물을 찾으러 부엌에 왔다. 술 잘하나 보네, 하는 내 말에 지혜는 말했다. 지방에서 올라와서 아는 사람이 없으니까, 이렇게라도 해야 끼워주지 않겠냐고. 그게 혼신의 힘을 다한 술 게임의 사유로 공감되진 않았지만, 이야기를 해보니 우리는 제법 공통점이 많았다. 따져보니 둘 다 술을 그렇게 좋아하지는 않고, 읽은 책들도 좀 겹쳤다.

우리는 옆 동의 기숙사에서 생활했다. 나 역시 광주에서 나고 자란 지방 사람이었다. 상향으로 원서를 질렀다가 운 좋게 합격한 학교였다. 아는 이 없는 타지에서의 기숙사 생활. 부모님과의 생활이 지겨웠던 나에게 좋은 기회라고 생각했다. 광주와 서울이 그리 다르지 않을 것 같았고, 그건 정말 그랬다. 그래도 기숙사 생활은 영 허기졌다. 동기들과 저녁 식사에 맥주까지 먹고 떠들썩하게 놀다 들어와도 기숙사에만 들어오면 컵라면 물을 올렸다. 물을 올리던 여느 밤에 지혜에게 전화가 왔다. 배가 고프니 라면이나 먹자는 거였다. 지혜는 츄리닝 차림으로 편의점에 나왔다. 항상 원피스며 트위드 재킷으로 꾸며 입던 지혜였지만 편의점에 나올 때면 털털한 차림이었다. 중간고사까지 멀었는데도 회계 원리 과목을 보다 나왔다고 했다.

지혜는 아주 악착같이 살았다. 고등학생 때부터 구좌읍의 평대리라는 조그만 마을에서 제주시의 학교까지 하루 두 시간을 통학한 건강한 몸이라고 했다. 지혜는 그 말을 증명하듯 살았다. 아홉 시부터 수업이 시작되는 날이 대부분이었다. 나로서는 엄두가 나지 않는 시간표였다. 오전 일찍 수업이 끝나고 나면 아르바이트와 학술 동아리 활동을 가고, 밤이면 과제며 공부를 했다. 친목 도모를 빙자한 여러 술자리에 끌려 나가는 일도 많았다. 그런 날은 취한 애들을 집에 넣어주고 다시 공부하러 들어갔다. 그러면서도 못하겠다는 소리 한번 없었다. 동기 몇 명은 그런 지혜를 피곤한 사람으로 보았다. 매일 눈 밑이 거뭇하면서도 꿋꿋이 살았으니, 두 달 내내 새내기란 특권에 취해 술을 퍼붓고 다니던 이들의 마지막 양심을 쿡쿡 찌르기 적합한 사람이었다. 나 역시 지혜가 도서관 지박령처럼 느껴질 지경이었다.

"벌써 공부를 해? 좀 놀아라, 야."

"나 회계 완전 못해. 어렸을 때부터 수학 감이 없어서… 다음 학기에 기숙사 잘릴지도 몰라."

신입생 첫 학기 때는 쉽게 기숙사 신청을 받아주지만, 두 번째 학기부터는 치사하게도 성적순으로 입사생을 선별하는 학교였다. 기숙사생이란 공부 좀 하는 학생들을 말했다. 기숙사 생활에 이골이 나고 모아둔 돈도 좀 있는 고학번들이야 자취방을 구하면 그만이었지만 학교 지리도 미숙한 신입생들은 기숙사에 남는 게 최선이었다. 코인 세탁소에서 이불 빨래를 돌리는 6,000원이 더럽게 비싸게 느껴졌던 우리였다.

"뱃속에 거지가 들었나."

지혜는 컵라면을 쇼핑하듯 천천히 살펴보면서 말했다. 우리는 항상 배고팠다. 그나마 같이 있을 땐 좀 나았다. 내가 지혜를 따라다니기 시작한 건 그래서였다. 정보력이 빠른 지혜를 따라 학점 잘 주는 교수님의 수업을 신청했고, 대외활동에 지원했고, 봉사활동을 다니게 됐다. 바쁘게 살아가다가 출출해지면 우린 다시 편의점을 찾았다. 나 서울 사는 애들이 좀 부러워, 다음 학기에 내가 어디에 살지 맘 졸이지 않아도 되고, 과일 땡길 때 냉장고에 굴러다니는 과일 하나쯤은 있고 그런 거. 지친 어느 날, 문득 튀어나온 불평이었다. 평소라면 어쩌겠냐며 할 일을 하던 지혜는 묵묵히 고개를 끄덕이더니 한강이나 걷자고 했다.

뚝섬유원지의 피크닉 구역을 지나니 넓은 잔디밭 너머로 한강이 펼쳐졌다. 지혜는 답답할 때면 한강을 찾았다고 했다. 도서관 칸막이나 24시간 카페에 갇혀 있다가, 자신의 앞을 막는 게 없는 이곳에 오면 가슴이 뚫린다면서. 아직 여기에 누구를 데리고 온 적이 없었어. 지혜의 중얼거림이었다. 평범한 날들 중에는 유독 허기진 날들이 섞였다. 우리는 그런 날이면 물가를 찾았다. 종종 지혜가 맥없는 목소리로 전화가 올 때면 그건 뚝섬유원지를 가자는 신호였다.

"세상에 참 대단한 사람들이 많은 것 같아."

내 전역과 복학 후 처음 나간 뚝섬유원지에서, 지혜가 한 말이었다. 새로 활동하는 마케팅 동아리 이야기였다. 설레는 마음으로 들어간 곳이지만, 아이디어도, 분석력도 좋은 사람들이 널렸다고 했다. 어쩌면 그건 지혜에게 첫 실패인지도 몰랐다. 작은 마을에서 태어나, 학원도 별로 다니지 않고 서울의 번듯한 대학에 진학해서 마을의 자랑이 됐다던 지혜였다. 지혜는 한참 고학년의 무용담을 늘어놓다가 덧붙였다. 이 동아리에 있다가 번듯한 회사에 취업한 선배들이 '알럼나이 특강'을 오는데, 자기는 꼭 그 특강을 오고야 말겠다고. 그러면서 지금 참여하고 있는 프로젝트 이야기를 늘어놓았다. 복잡한 말을 다 이해하진 못했지만, 물이 흘러가는 소리를 들으며 걸으니 아무 생각이 들지 않아서 좋았다.

늦은 시간 지혜와 기숙사로 돌아온 나를 본 동기들은 지혜와 뭐 없냐며 킬킬거렸다. 할 말이 없었다. 우리는 새내기 삼월부터 달라진 점이 없었다. 달라진 점이 있다면, 지혜와 함께 다니는 이유였다. 지혜와 있으면 허기짐이 덜해서 좋았던 나는, 어느 순간부터 이상한 생각이 들었다. 그건 김지혜가 눈에 밟힌다는 생각이었다. 마음에 걸리는 대상이 생겼다는 건 이상한 기분이었다. 지혜의 도서관 옆자리에 앉아서 전공 공부라는 걸 시작했다. 지혜가 관심 있어 하는 기업의 채용 공고를 읽다가 요즘에는 토익 대신 오픽이 필요하다는 걸 알게 되었다. 새내기 때는 놀 궁리에 바빴던 내가 그럭저럭 괜찮은 중견기업에서 지난 겨울 방학 인턴을 할 수 있었던 것도, 지혜의 마음에도 내가 걸리기를 바라서였다. 정작 지혜는 지난봄 인턴을 했던 대기업에서 정규직이 되는 데 실패하고 말았지만.

지혜의 전화가 왔다. 지혜의 정규직 전환 결과가 나오는 날이자, 내 6학기 마지막 시험이 끝나기 하루 전이었다. 시험 하나쯤이면 뭐 어떠랴. 기숙사 근처 인적이 드문 편의점 앞, 지혜는 맥주캔을 따고 있었다. 멀리서 보기에도 눈두덩이가 벌겠다. 모른 체 똑같은 맥주와 새우깡을 사 지혜 옆에 앉았다.

"왜, 나 내일 시험인데 나왔다."

"…야, 나 떨어졌다. 근데 왜 떨어졌는질 모르겠다."

할 말이 없었다. 나도 지혜가 왜 떨어졌는지 알 수 없었다. 인턴 과제도 열심히 했고, 싹싹한 성격에 윗사람한테 밉보일 일도 없었을 건데. 대기업은 이렇게 알 수 없는 무서운 곳인가. 위로의 단어를 열심히 고르던 나에게 지혜는 한참이나 떠들었다. 이럴 거면 왜 사원들이 하는 일도 가르쳤는지, 회식 자리에서 얼큰하게 취해있던 팀장은 곧 보자는 뉘앙스를 남겼는지. 지혜는 한 문장이 끝나기 바쁘게 맥주를 들이켰다. 양 뺨이 눈두덩이만큼 벌겠다.

"내가 뭘 해줄 수 있을까."

"역시 나는 제주에 뿌리가 있나 봐." 지혜는 공상에 잠긴 듯 중얼거렸다.

"나는 강남이 좀 안 맞았거든. 사원증 턱 매고 고층 빌딩으로 들어

갈 수 있는 건 멋있다고 생각했는데, 하루하루 출근하면서 턱턱 숨이 막히더라고. 봐봐, 여기는 건물 다음에 뭐가 있는지 보이잖아. 이 집 다음에는 저 집의 지붕이 보이고. 그런데 강남은 이 건물 다음에 뭐가 있는지 보이질 않아. 답답해."

해본 적 없는 생각이었기에, 나는 지혜를 위로해 줄 단어를 찾아 헤 맸다. 정적 끝에 먼저 입을 뗀 건 지혜였다. 무슨 말이었더라, '그냥 나 좀 안아줘'였던 것 같다. 지혜의 츄리닝이 초여름의 더위를 머금어 따 뜻했다. 바싹 말려 버석한 츄리닝 위를 한참이나 도닥였다. 다음날 시 험은 보란 듯이 별로 쓸 게 없었다.

그날 이후로 지혜는 괜찮아진 것 같았다. 정말 그렇게 보였다. 아무 일도 없었다는 듯이 공모전 팀을 하나 더 꾸리고, 취업설명회를 들으 러 갔다. 마지막 전공 필수 시험이 끝난 날, 과방에서 동기들의 종강을 기다리던 지혜는 자신이 주도해서 근처 술집을 단체 예약했다. 오랜만 에 보는 지혜의 거나하게 취한 모습이었다. 취한 지혜는 끊임없이 안 주를 시켰다. 여기 떡볶이 있다, 시켜, 시켜. 우리 나초 하나만 더 먹을 래? 그런 지혜를 집까지 바래다주는 건 역시 내 몫이었다. 싸게 구한 지혜의 자취방은 벌레는 없었지만, 가로등 없는 골목길을 올라야 한다 는 치명적인 단점이 있었다. 나는 괜찮냐고 물었다. 김지혜의 답은 한 결같이 어, 멀쩡해, 였다. 그런 지혜가 답답했다. 제 몸도 가누지 못하 고 휙휙 흔들리는 지혜는 하나도 멀쩡하지 않았다. 나는 지혜가 눈에 밟히는 존재 이상임을 깨달았다. 이제 김지혜는 내 마음을 콕콕 찔렀 다. 나는 작게 물었다.

야, 우리 내일 놀러 갈래?

좋지, 어디로?

나 너랑 계속 여기저기 다니고 싶어, 둘이.

…어, 내가 지금은 좀 힘들어, 미안해.

순전히 충동에서 나온 제안에 차분한 대답이었다. 고요한 원룸촌에 지혜의 말이 메아리가 되어 울렸다. 음절들이 몇 초간 의미 없이 허공을 휘젓다 문장이 되어 날아들었다. 문장의 의미를 이해하기도 전에, 지혜는 1층 도어락을 열었다. 나는 지혜의 마지막 말만을 이해했다. 잘 자.

나는 지혜의 말을 곱씹었다. 그리고 집까지 걸어가는 이십 분 동안에야 문장을 소화할 수 있었다. 정확하게, 나는 차였다. 그 이후로는 지혜를 곱씹었다.

그날 편의점에서 안아달라고 했던 이유는 무엇이었는지, 답답한 날이면 꼭 나를 불러 뚝섬의 한산한 물가를 걸은 이유는 무엇이었는지, 나는 김지혜 인생의 조연 1에 불과했던 것인지 하는 생각이었다. 돌이켜보면 지혜는 대학 생활 내내 애인이 없었다. 정확히는 제대로 만났던 애인이 없었다. 지혜에게 관심을 보이는 남자는 종종 있었다. 지혜가 관심을 보인 남자도 종종 있었다. 지혜는 그들과 사귀었지만, 보통 한 달을 넘지 못하고 이별을 맞았다. 이유를 물어보면 그랬다. 안 맞는 점이 있어서, 바쁜 일정에 여유가 없어서. 그 소리를 들으면서 나는 착각에 빠졌다. 내가 지혜 옆에 몇 년이고 붙어 다닐 수 있는 특권을 가진 사람이라는 착각이었다. 지혜는 잔인하게도 내가 그들과는 다를 바없음을 통보했다.

그래서 나는 지혜에게 연락할 수 없었다. 술김에 실언을 한 척, 아무렇지 않게 연락할 수도 있었지만. 먼저 연락을 한 건 지혜였다. 나는 미리보기로 이어지는 지혜의 카톡을 읽었다. 평소와 다를 바 없는 말투였다. 잠시 제주의 본가로 떠나며, 방학이 끝날 때쯤 돌아오겠다는 글자가 정갈하게 찍혔다. 나는 이십 분쯤 뜸을 들이다가, 잘 갔다 오라고, 다녀와서 얼굴이나 보자고 답장했다. 뒤이어진 그러자는 답장은 지혜스러웠고, 잔인했다.

'그래'라는 한 마디를 근거 삼아 아직 우리가 친구라고 생각했다. 시답잖은 이야기나 하려고 지혜에게 전화를 걸었다. 지혜는 받지 않았다. 용건이 있었던 척 카톡으로 동기들의 소식이나 아르바이트에서 있었던 이야기를 보내다가, 감정을 이기지 못해 전화를 걸기도 했다. 지혜는 전화를 받지는 않았지만, 카톡으로 전해지는 소식에는 드문드문 짧은 답장을 보냈다.

일 년 만에 찾아온 제주는 어제 왔던 듯 달라진 게 없었다. 버스를 타고 한 시간쯤 달리면 나오는 구좌읍도 그랬다. 제주 하면 성산 일출봉과 오설록밖에 모르던 나는 지혜 덕분에 구좌읍을 알게 됐다. 지혜의 고향 마을은 구좌읍 입구에서도 삼십 분은 더 가야 했다. 서쪽의 해수욕장들을 지나 성산 일출봉으로 향하는 길에 위치한 작은 마을이었다. 관광지며 대형카페가 화려한 서쪽과는 달리, 동쪽의 해안도로는 한가하기 그지없었다. 버스는 구불텅한 도로를 계속 달렸다. 청록빛 바다였다. 창문 너머로 단층 건물에서 고요한 오후를 보내는 카페 주인장이 보였다. 문득 지혜를 일주일 이상 만나지 않은 게 군 생활 이후 처음임을 깨달았다. 해안가로 넘실거리는 썰물 파도처럼, 나는 지혜가 무척이나 보고 싶었다.

여행 왔다는 연락을 본 지혜는 한참이나 답이 없었다. 여행의 목적을 그도 모를 리 없었지만, 나는 억지로 제주 이곳저곳을 들먹거리면서 즐거운 관광객 행세를 했다. 지혜는 서너 시간 후 내 숙소 앞의 자그마한 카페로 나왔다. 지혜는 내 관광객 놀이에 부응이라도 하듯, 여기서 20분만 가면 토끼섬이라는 작은 섬이 있고, 30분을 가면 종달리라는 예쁜 마을이 있다고 소개했다. 별다른 관심이 있는 건 아니지만, 나는 열심히 지혜가 소개해 준 심야식당을 메모했다. 한참 연극을 하고 나서야 비로소 지혜에게 안부를 물을 수 있었다. 야, 그래도 전화라도 좀 받지, 아예 손절당한 줄 알았어, 하는 넉살에 지혜는 그제야 웃었다.

"그건 아냐. 지쳐서 좀 쉬려고 왔어." 지혜는 한 모금도 마시지 않은 아메리카노를 홀짝였다.

"정규직 떨어진 이후로 아무것도 할 수가 없을 것 같다는 생각이 들었어. 그래서 무턱대고 집에 왔거든. 생각이 많을 땐 물에 가야 하는데, 이건 뚝섬 정도로는 해결이 안됐어. 무조건 바다를 봐야겠다, 하는 생각이 들었어. 올 때는 좀 쉬어야지, 하면서 혹시나 하는 마음에 노트북을 챙겼는데 결국 맨날 끼고 살아."

지혜는 제주에 내려와서도 제대로 쉬질 못했다며 했다며 말을 이었다. 그 말 중에도 지혜는 전화 한 통을 끊었다. 공모전 제출작을 위해 마케팅 동아리원들과 회의하고, 하반기 자소서를 썼다고 했다. 그러던 어느 날, 어머니와 동생이 식당에 나가 있는 사이, 벽에 걸려 있던 어머니의 해녀복이 보였다고. 지혜의 어머니는 물질을 해서 소라며 전복을 잡고 물질을 하지 않는 날이면 식당을 하는 해녀였다. 외할머니는 어머니에게, 어머니는 지혜에게 물질을 가르쳤다. 가업을 거절한 지혜였지만 기본은 알았다. 그날의 바다는 퍼런 목소리로 지혜를 불렀다. 어머니의 해녀복을 훔쳐 입고 부름에 답했다. 바다는 고요하고 평화로웠다. 바닷속은 생각마저 지워버릴 듯 시원했다. 돌들을 푸릇하게 덮고 있는 톳을 헤쳐 드문드문 보이는 군소며 우뭇가사리, 소라를 집어넣었다. 채집망이 두둑해지는 걸 보면 고민도 지워져, 지혜는 싱긋 웃으며 덧붙였다. 그러다가 저기 멀리에서 뿔소라가 보였다고 했다. 얼핏 보기에도 몸뚱이가 제법 컸다. 이미 숨이 차올랐지만, 자신을 믿었기에 마지막 산소로 헤엄쳐 뿔소라를 집어 들었다. 서둘러 뭍으로 올라가야 했다. 코 근처에서 보글, 숨 방울이 일고, 짭조름한 바닷물이 느껴지고, 퍼랬던 바닷물이 희뿌옇게…. 정신이 들고 보니 뭍이었단다. 물질 중에 지혜를 발견한 해녀 할머니는 해녀들이 몸을 말리는 불턱에 지혜를 눕히고, 동생을 불렀다.

어이가 없는 이야기였다. 매번 합리적인 선택을 하던 지혜가 왜 그렇게 충동적인 선택을 했는지 이해가 가지 않았다. 내가 아는 바다는 초보자가 감히 뛰어들 수 없는 험지였기 때문에. 지혜는 핑계를 찾으려는 듯 입을 오물거리다가 말했다.

지혜는 세달 간의 인턴에 모든 사랑을 바쳤다고 했다. 과제를 위해 조기 출근과 야근까지 불사했고, 못 마시던 술을 마시며 2, 3차의 회식을 버티고, 마지막 날에는 선물까지 돌렸다. 그건 구걸에 가까웠다. 모든 것을 바쳤는데, 돌아온 결과는 싸늘한 불합격. 원인은 지혜 자신도 잘 모르겠다고 했다. 그때부터 자신에게 남아있던 사랑이 사라져 버린 것 같다고. 지혜는 말했다. 잿더미 후에는 공허함이 남았다. 자신의 주위로 모든 것이 빠르게 흘러가서 숨이 막혔다고 했다. 하필이면 공채 결과 발표 시즌이었다. 같은 동아리의 동기가 공채로 그 회사에 붙었다는 소식이 들렸다. 축하가 뒤덮이는 카톡 화면이 너무 시끄러워서, 지혜는 아무 말도 쓸 수 없었다고 했다. 그 순간에 바다가 아른거렸단다. 바닷속으로 들어가면 모든 것이 고요하다고. 바다에는 항상 그대로 있어서, 변하질 않는 것 같다고. 지혜는 이어서 말했다. 바다는 정직하거든, 노력한 만큼 결과를 줘. 내가 더 잠수한 만큼, 더 찾아 헤맨 만큼 많은 게 보이는 거지. 도저히 알 수 없는 일들이 널려 있는데, 바다는 항상 묵묵하게 결과를 주는 거야.

할 말이 없었다. 나는 지혜가 힘들었을 거라는 걸 누구보다 알고 있음에도 지혜를 돕지 못했다. 지혜가 편의점으로 나를 불러낸 밤, 맥주를 사 지혜 곁에 앉았던 건 위로하기 위해서만은 아니었으니까. 어쩌면 지친 지혜의 지친 정신을 틈타 더 다가갈 기회라고 생각했었으니, 나는 소정의 성과를 이루어 냈다는 생각마저 했다. 지혜가 바란 것은 내 고백이 아니라 위로라는 사실을 애써 외면한 채. 어쩐지 혹 더워졌다. 괜히 창밖을 내다보자, 어둠에 물들어 가는 하늘이 보였다. 구좌의 바다 한구석에 휑뎅그렁하게 자리 잡은 카페 주위에는 가로등이 별로 없었다.

"나 모레까지 여기 있거든. 해 진다. 내일 또 볼래?" 내 몫의 위로를 이제라도 해야겠다는 생각이 들었다. "너한테 못 들은 이야기가 너무 많은 것 같다."

지혜는 잠시 고민하더니, 이내 고개를 주억거렸다. 그제야 지혜의 얼굴이 눈에 들어왔다. 눈 밑의 거뭇함이 서울에서보다 한결 옅었다.

어둠이 완연한 밤이었다. 구좌로 오는 내내 밀어 치던 파도결이 희미해지고, 멀리서 일정한 간격으로 불빛이 선명했다. 지혜는 그게 오징어잡이 배라고 말해줬다. 배의 조명을 따라 걷자 지혜의 집과 내 숙소를 가르는 갈림길이 나왔다. 데려다줄지 물었지만 지혜는 눈감고도 찾아갈 수 있다며 거절했다. 내 숙소는 총총한 오징어 배 조명을 십 분정도 더 따라가야 했다. 여기는 버스도 잘 다니지 않는 조용한 밤바다였다. 문득 지혜가 정규직이 되는 데 실패한 이유를 알 것 같다는 생각이 들었다. 그건 지혜의 길이 아니었으니까. 빽빽하게 들어찬 강남의 건물은, 자신의 길이 아닌 곳에 들어온 대학생을 받을 공간이 없었을 거다.

지혜가 배치받았던 부서는 영업 관리 부서였다. 거기에서 지혜는 재고를 관리하고, 행사 가격을 매기고, 매장에 그걸 공지하는 일을 했다. 그건 지혜가 관심 있던 일도, 잘하는 일도 아니었음은 나조차도 바로 알았다. 지혜는 마케팅 일을 하고 싶어했다. 나는 지혜가 연출물을 기획하고, 이미지를 고치고 포스팅 내용을 고민하는 밤들을 지켜봤다. 그러나 그런 일을 하는 부서는 자리가 없었다. 그래도 수없이 집어

넣은 서류 중 겨우 붙은 한 장의 서류, 그것도 대기업의 정규직 전환형 인턴 자리는 달콤했다. 이것만 통과하면 나중에 알럼나이 특강도 나갈 수 있어, 지혜는 입버릇처럼 그랬다. 부서를 가지고 찬물 더운물 가릴 때는 아니었다. 지혜에게 맞지 않는 길은 가시밭길이 되어 지혜를 찔렀다. 지혜는 파김치가 되어 퇴근하는 일이 잦았다. 어느 날은 숫자가 맞지 않는다고 했고, 또 어떤 날은 가격을 너무 높게, 혹은 너무 낮게 조정해서 혼이 났다고도 했다.

다음 날에는 유독 날씨가 맑았다. 그 카페에서 지혜를 다시 만났다. 햇빛이 바닷가를 데우기 시작한 열한 시였다. 점심을 먹기에는 이르고, 카페에서 파는 디저트로 배를 채우기엔 애매했다. 지혜는 구좌까지 온 김에 마을 구경이나 시켜주겠다며 날 이끌었다. 어제는 잘 보이지 않던 풍경이 눈에 들어왔다. 서울과는 다르게 텅 비어있는 하늘 아래로 돌담길과 밭이 이어졌다. 당근밭이라고 했다. 수확 철이 다가오는 당근 잎사귀가 푸릇했다. 파란 용달차를 따라가자 단층 주택들이 보였다. 빨갛고 파란 야트막한 지붕들이 옹기종기 모여 있었다. 지붕의 끝을 따라가니 바다가 보였다. 드문드문 마을 주민들을 마주쳤다. 주름이 자글자글한 할머니들은 지혜에게 인사를 건넨 후 외계인이라도 마주친 듯 나를 한 번, 지혜를 한 번 보았다. 지혜는 어어, 친구 왔어요, 라고 소개한 후 걸음을 이었다.

"완전 깡촌이지?"

지혜는 멋쩍게 웃었지만, 나는 이 마을이 퍽 마음에 들었다.

"아냐, 마을 예쁜데. 지붕들도 예쁘고. 바로 바다에 갈 수 있는 것도 좋겠다. 보니까 사람들끼리도 좀 알고 지낼 수 있을 것 같고.”

"그건 진짜 그래." 지혜가 푹 한숨을 쉬었다. "서로 너무 알고 지내서 문제야. 나 대학 붙고 나서 플래카드 걸렸다니까? 서울대 간 것도 아니고.”

"플래카드 걸리기가 쉽냐.”

지혜는 멋쩍은 표정으로 목덜미를 두어 번 긁더니, 이내 마을의 곳곳을 소개했다. 해산물을 임시로 모아두는 창고를 지나, 마을의 중심부인 농협을 보여 걸음이 계속되었다.

"생각해 보니까 그때부터가 문제야. 나는 분명히 자랑스러운 평대리 딸이었거든. 그래서 나는 대학 가서도 내가 되게 잘할 줄 알았어. 근데 그게 아니더라고. 애들이 영어를 너무 잘해. 영어 발표 시간에 나는 자기소개를 외워갔었다? 그런데 아무 준비도 안 해왔던 애가 발표를 너무 잘하는 거야. 걔는 미국에서 살다 왔으니까 그냥 생각난 거 말하면 되는 거지.”

그 사건은 나도 알았다. 지혜는 번역기 돌린 자기소개를 A4에 인쇄해, 한 시간 동안 달달 외웠다.

"별거 안하고도 잘 풀리는 애들이 수두룩했어. 교양 중국어를 들어갔더니 외고 중어과 나온 애들이 깔려 있고. 나는 알바 가기도 바쁜데 선배 불러다 술 마시러 가고 있고. 여기서 나는 아무것도 아니라는 생각이 들더라고. 난 그래서 일부러 더 일을 만들었던 것 같아. 바쁘게 살고 있으면 그런 생각은 안 들어서. 동아리에서도 그랬어. 나는 서브역할만 해도 힘들더라고. 그러다가 인턴 되고 나니까 너무 좋았어. 전

환만 되면 난 우리 기수 중에 제일 빨리 취업하는 거였거든."

지혜가 말을 마치니 바다였다. 마을 어장이라는 표지판이 이곳이 도민의 공간임을 알렸다. 푸른 바다 사이에 주황색 부표가 여기저기 보였다. 지혜는 저게 다 일하는 해녀들이라고 설명했다. 저거는 테왁이라고 하는데, 몸을 뜨게 하기도 하고 어느 부근에 있는지 알려주는 역할을 해⋯. 설명하는 지혜의 호흡이 문득 떨렸다. 가쁜 숨을 몰아쉬는 지혜의 눈이 꾹 감겼다. 자신을 부르는 내 목소리도 무시한 채, 지혜는 한참이나 더 숨을 골랐다. 언제부터 그랬냐는 다그침에 지혜는 이 주가 넘었고, '그 일'만 생각하면 증세가 나온다고 했다.

"나 다시 바다에 들어가 볼까 해."

한참 만에 숨을 고른 지혜의 첫 마디였다. 나는 다시 한번 어이가 없어져 설득했다. 너는 이틀 전까지 병원 신세를 졌었고, 들어갔다가 또 어떻게 되려고 위험한 짓을 하려고 하냐.

"나는 이해를 못 하겠어. 나중에 들어가. 지금 들어갔다가 더 안 좋아지면 어쩌려고. 몸 완전히 괜찮아지고 나서 들어가도 늦지 않잖아."

불현듯 나를 보는 지혜의 눈이 매서웠다. 같이 지낸 오 년 동안 지혜가 그런 눈으로 나를 바라보는 건 처음이었다. 지혜는 너는 나를 이해하고 있는 줄 알았어, 한 마디를 남기고 성큼성큼 사라졌다.

얼마 후 지혜는 잠수복을 입고 돌아왔다. 어머니의 잠수복이라고 했는데도 체구 차이가 크지 않은지 자기 옷인 양 잘 맞았다. 지혜는 당장이라도 잠수할 심산인 것 같았다. 말리기도 어렵게 각종 도구를 챙겨 바다로 돌아온 지혜를 보면서 나는 아무 말도 할 수 없었다.

"너는 왜 내가 갑자기 물에 들어갔는지 이해가 안 간다고 했었지. 그날이 처음 들어간 게 아니었으니까 그렇지. 그날 일이 생각나면서 몸이 떨릴 때, 물속에 들어가면 평화롭고 잠잠해. 아무도 날 앞서가려고 하지 않고, 그냥 내가 할 수 있는 것만 하면 돼서 그래."

쏘아붙이는 지혜의 뒤로 주황색 부표들이 하나둘 겹게 덮이는 모습이 보였다. 해녀들이었다. 휘익- 숨비소리가 불규칙하게 울렸다. 지혜는 얼어있는 나를 제친 채 잠수 준비를 했다. 해녀들은 지혜를 알아본 듯 물가로 헤엄쳐 왔다. 방언 섞인 대화는 제대로 알아듣기 힘들었지만 의도는 명확했다. 몸은 괜찮냐, 아직 무리는 안된다, 하는 만류였다. 잠깐만 들어갔다 오겠다는 말조차도 먹히질 않았다. 지혜는 난처한 듯 망설였다. 나에게 쏟아낸 말들을 되풀이하기는 어려운 상대였다. 저기 서울에서 친구가 왔는데. 한번 물질하는 거 보고 싶대요. 잠깐만 내려갔다 올게요. 지혜는 내게 동의라도 구하듯 애절한 시선을 보냈다. 나는 얼떨떨하게 고개를 끄덕였다.

해녀 중 가장 주름이 자글한 할머니가 눈을 치켜올려 나를 뜯어보았다. 이마에 새겨진 주름이 높은 파도 아래같이 깊었다. 여든은 훌쩍 넘어 보였지만 눈빛이 형형했다. 내가 지혜를 위해 해줄 수 있는 최선의 일을 하기로 했다.

"한 번만 보면 안될까요? 금방 올라온대요. 약속했어요."

제법 간절한 표정을 섞은 호소였다. 할머니는 외지인의 부탁까지 매몰차게 거절하기는 힘든 듯 지혜와 나를 번갈아 보더니 마지못해 입을 뗐다.

"큰 거 잡을랑 말고, 숨이 남아있을 때 물 위로 올라오라."

그 말을 들은 지혜는 어딘가에 맞은 듯 멍하게 고개를 주억거렸다. 무언가 대답을 한 것 같았지만 파도에 묻힌 소리는 내게 닿지 못하고 부서졌다. 대답을 들은 할머니는 만족스럽다는 듯 바다 저편으로 헤엄쳐 지혜가 잠수할 공간을 만들었다. 이내 바다로 내려간 지혜는 일 분 후에 돌아왔다. 휘익— 지혜가 내뱉은 숨비소리가 바닷가를 울렸다. 지혜는 그러고도 숨이 남았는지 나를 향해 돌아보았다. 잘 보이지 않았지만, 분명히 미소 짓고 있다는 생각이 들었다.

지혜의 망태기에는 작은 소라가 두세 개 담겨 있었다. 지혜는 소라에서 살을 분리하고 내장에 붙은 하얀 덩어리를 떼어내 권했다. 짭조름한 바다 향이 몰캉하게 씹혔다. 나는 지혜가 잠수복을 집에 가져다 두고 돌아왔을 때야 배가 고프다는 사실을 깨달았다. 시계를 보니 열두 시가 한참 넘었다. 나는 그제야 오랫동안 배고픔을 느끼지 못했음을 깨달았다.

"일 학년 때는 밥 먹고 술 마시고 들어와서도 배가 고팠는데. 위가 줄었나."

"허기가 덜한 거지. 나도 그래, 여기로 돌아오고 나서부터."

문득 지혜가 할머니에게 한 말이 궁금해졌다. 무슨 말을 했길래 선뜻 할머니의 허락을 받았을까. 지혜는 망설이다 말했다.

"지금까지 숨비소리를 낸 적이 없었다고 했어. 아까 봤겠지만, 여기 해녀들은 다 연세 드신 분들이야. 숨비소리는 마지막 숨을 쓰지 않고 아껴두었다가 내는 소리인데, 나는 숨을 아껴두지 않고도 물 위까지 올라오는 데 문제없다고 생각했거든. 젊으니까. 할머니 말을 듣고 나서야 깨달았어. 마지막 숨을 남겨두어야 물 위로 제대로 올라올 수 있다는 거 말이야." 지혜는 잠시 말을 골랐다. 숨을 고르듯이.

"생각해 보니까 나는 서울 생활할 때도 숨을 하나도 남겨놓지 않고 있었더라고. 마냥 잘해야겠다는 생각에 학점이며 스펙을 좇아 달리면서, 나는 잘 뛰고 있다고. 그렇게 생각했지."

다음 날은 제주 마지막 날이었다. 아르바이트를 더 미루다간 사장님을 다시 만날 자신이 없기에 서울로 돌아가야 했다. 지혜는 관광지에 가지 않고 숙소 근처를 산책하겠다는 내 말을 듣고서는 나를 마을로 불렀다. 마을에 도착하니 바다에 주황색 부표 하나가 둥둥 떠 있었다. 경쾌한 숨비소리가 들렸다. 나는 물가에 앉아 지혜가 헤엄쳐 나오는 모습을 잠자코 지켜보았다. 거리가 가까워질수록 지혜의 얼굴이 선명해졌다. 햇빛 때문인지는 몰라도, 지혜 눈 밑의 거뭇함이 사라져 보였다. 그 모습이 문득 좋아서, 지혜의 모습을 카메라에 담았다. 지혜는 태연하게 브이를 그리며 잘 찍어보라고 으름장을 놓았다. 사진 몇 장을 골라서 지혜와의 카톡 채팅방에 들어갔다. 내가 보낸 메시지만 가득했다. 위로 올려도 나의 메시지만 화면을 채웠다. 어쩌면 마지막 숨을 남겨놓지 않았던 건 지혜만이 아니었다는 생각이 들었다.

공항으로 이동할 시간이었다. 나는 지혜에게 언제 서울로 돌아올지 물었다. 지혜는 조금 더 시간이 필요하다고 했다. 돌아갈 준비가 되면 연락을 주겠노라는 약속과 함께. 제주공항으로 돌아가는 길은 어쩐지 날씨가 좋았다. 오후 네 시의 햇빛이 단층 건물을 하나씩 훑었다. 그 모습이 예뻐서, 지혜에게 잘 가겠노라는 인사를 보낼까 하다 채팅창을 껐다.

지혜에게 다시 연락이 온 건 팔월 말이 되어서였다. 그동안 우리는 연락을 거의 하지 않았다. 팔월 초의 내 생일에만 축하한다는 메시지와 함께 선물이 왔다. 흔하게 들어오는 디퓨저였지만, 짭조름한 바다의 향이 났다. 나는 그 선물을 책상에 올려두었다. 지혜에게 연락하고 싶은 날이면 디퓨저를 만지작거렸다. 채팅방에 지혜의 메시지가 여럿 올렸다. 목적지로 김포공항이 찍힌 비행기 티켓 사진 아래로 채팅이 이어졌다.

"오늘 뭐 해? 약속 없으면 밥 먹으러 가자. 편의점 말고, 식당 예쁜 데 알아놨어."

월급의 반, 인생의 반

리유아

리유아 외로웠던 어렸을 적 그 공허했던 마음 한구석을 글들로 채워보고자 합니다.
아빠의 애틋하고도 멀었던 사랑의 의미를 소중했던 순간들을 회상하면
서 깨닫고 성장해 가는 딸의 이야기를 통해 많은 분들에게 작은 위로가
되기를 바랍니다.

허전한 공간

 퇴근 후, 아무도 기다리지 않는 집 문을 열고 들어섰다. 겨울이라 날이 짧아졌는지 벌써 어둑어둑해진 탓에 신발도 벗지 않은 채로 센서 등이 꺼지기 전에 거실 형광등이 있는 쪽으로 달려가 거실 불부터 켰다. 아직도 퇴근 후 집에 들어설 때면 어두움과 공허함이 무서워 조심스럽게 들어간다. 집에 도착하는 시간이 그나마 낮일 때는 창문 넘어 들어오는 햇살이 방안을 비추고 있어 괜찮았다. 그러나 저녁은 달랐다. 어둠이 가득한 집에 들어설 때마다 공허했다. 그래서 집으로 돌아올 때면 누구든 통화를 하며 들어오거나, 센서 등이 꺼지기 전에 신발도 벗지 않은 채로 들어가 거실 불을 켰다.

 외동딸이었던 나는 어렸을 때부터 엄마가 떠난 이후로 바쁜 아빠와 둘이 살았던 터라 우리 집은 항상 조용했고, 허전했었다. 아빠와 떨어져 자취 생활한 지 어느덧 오 년째, 자취방이 이제 나의 집이지만 아직도 이 공간은 너무 어색했다. 나에게 집은 어느 다른 가족들의 집처럼 아늑하고 따뜻하기보다는 골치 아픈 일들을 피하기 위한 곳이지만 어둡고 차가운 곳이었다. 그래서인지 몸이 피곤하지 않은 날이면 집에 들어가기 싫어 집 근처를 걷다가 들어가곤 했다.

퇴근길에는 어딘지 모를 허전함에 항상 누군가에게 전화를 걸었다. 그 대부분은 아빠의 안부와 식사를 묻는 통화였다. 그 물음에 대답은 먹었다는 당연한 이야기였지만 전화기 너머 들려오는 대답이 내게는 어딘가 모를 안도감을 주었다.

유학 생활을 마치고 한국에 들어온 지도 벌써 육 년이나 흘렀다. 이제는 아침에 커피 없이는 살 수 없는 K 직장인이 되어버렸다. 서른 살이라는 성인이 되었지만, 여전히 아무도 없는 어두운 공간은 너무 두렵고 무섭다. 그게 익숙한 공간이라도. 아마 어릴 때의 경험 때문에 자꾸 무서운 상상을 하게 되는 것 같다. 아직도 집에 도둑이 들었던 그날만 생각하면 심장이 내려앉는 듯하다.

열네 살이 되던 해 추석 연휴, 시골에 있는 큰집에 내려가서 하룻밤을 자고 돌아온 날 이었다. 아빠가 주차하는 동안 짐을 가지고 먼저 집에 올라왔다. 그날따라 왠지 열쇠로 문을 여는데 딸각 소리가 없이 문이 열리는 이상한 느낌이 들었다. 집에 들어와서 어둠 속에 불을 켜니 서랍장과 장롱은 다 열려 있고 그 안에 옷과 잡동사니 들이 온 집에 널브러져 엉망진창이 되어 있었다. 그 자리에서 한 발짝도 못 떼고 놀라서 아무 말도 못 한 체 가만히 얼어붙어서 있었다. 지금 생각해 보면 도둑이 아직 집 안에 있다면 위험할 수도 있는 상황이 아닐지 하는 생각이 든다. 그날만 생각하면 아직도 털이 삐쭉삐쭉 선다. 주차하고 올라온 아빠는 놀라 있는 나를 두고는 집에 있는 현금들을 찾기 시작했다. 다행인지 불행인지 집에 훔쳐 갈 만한 거라곤 금품과 피아노 위에 지난주에 냈어야 했던 내 학원비뿐이었다. 아빠는 경찰서에 전화하고, 경찰이 올 때까지 놀란 가슴을 쓸어내리며, 집에 있지 않아서 다행이라면서도 나에게 왜 아직 학원비를 안 냈냐며 다그치듯이 물었다. 내심 '그까짓 학원비 얼마나 한다고 안 다니면 되지'라고, 생각했었다. 경찰이 왔다가 가고 나서 어질러진 집을 치우면서도 어딘가 모르게 누가 이런 우리를 지켜보고 있는 건 아닌가, 집 어딘가에 아직 도둑이 숨어 있지 않을지 라는 온갖 상상이 들었다.

그날 이후, 저녁에 집에 혼자 있을 때면 이상하게 분명 문도 잘 잠그고 있었지만, 문을 여는 소리 그리고 냉장고에서 나는 소소한 소리들이 나를 너무 무섭게 했었다. 특히 거실에서 보이는 불 꺼진 방에는 꼭 누군가 앉아 있는 느낌이 들었다. 아빠가 늦게 오는 날이면 온방에 불을 다 켜 놓고는 거실에 이불을 뒤집어쓰고, TV 앞에 앉아 휴대폰을 꼭 쥐고 있었다. 그러고는 졸음이 쏟아져 눈이 감길 때까지 아빠에게 전화를 걸어 언제 오냐며 징징대곤 했다. 철없이 무슨 회사가 그렇게 오래 일을 하냐며, 퇴근하고 집까지 오는 데 얼마나 걸리는지도 모르면서 빨리 오라고 무섭다고 울곤 했었다.

아마 그때부터였을 거다. 아무도 없는 어두운 곳에 있으면 심장이 숨쉬기 힘들 정도로 빨리 뛴다. 여전히 잠들 때 가로수 불빛이라도 없으면 잠들지 못해서, 방 불을 켜놓고 잠든다. 그나마 같은 공간에 누군가 있으면 편안한 마음으로 불을 꺼두고 잠들 수 있었다. 다른 친구네 집이나 우리 집에서 멀지 않은 고모네 집에 놀러 갈 때면 우리 집하고는 뭔가 항상 달랐다. 집이 크든 작든, 지저분하게 뭔가 널브러져 있어도 다른 집들은 문을 열면 느껴지는 따뜻한 온기, 그리고 북적이는 사람 냄새로 가득한 것 같았다. 넓고 공허하고 보일러를 틀어도 차가운 공기가 돌던 어렸을 때 내 기억 속의 우리 집이 지금의 내 자취방을 여전히 공허하게 하게 하는 것 같다. 그때 채워지지 못했던 공허함이 어쩌면 성인이 되어버린 나한테 아직도 채워지지 않은 듯하다.

좋은 것만 해주고 싶은 마음

오늘도 칼퇴근하고 집으로 향하는 길에 아빠에게 전화를 걸었다. 평소였으면 이미 받았을 전화를 음성사서함으로 넘어가도록 안 받으셨다. '뭐야 왜 안 받지?' 몇 번을 더 걸어 보다가 문자를 남겼다. 얼마 안 돼서 모르는 번호로 전화가 왔다. 아빠는 휴대폰이 고장 났다면서 마치 핑계라도 대는 듯 묻지도 않은 이야기를 해왔다. 나는 마치 다시는 연락이 안 될까 봐 두려운 마음에 어디 계시는지 물었다. 그 자리에 기다리라고 하고는 휴대폰 고장이 마치 세상이 무너진 양 달려갔다. 그러고는 만나자마자 휴대폰 가게가 문이 닫힐까 급하게 들어갔다.

"아빠, 가지고 싶은 휴대폰으로 골라봐요. 딸래미 이제 이 정도는 해줄 수 있으니까. 골라봐요."

아빠는 가게 안을 두리번두리번 보더니 새로 나온 아이폰을 가리키며 직원에게 가격을 물어보셨다. 말 많은 직원은 요금제와 가격을 이야기하면서 아이폰을 꺼내서 보여줬다. 가격을 들으시고는 놀라서, 너무 비싸다며 어딘가 저렴할 거 같은 휴대폰을 가리키며 얼마냐고 물어보시면서도 손은 계속 새로 나온 아이폰을 만지작대고 계셨다. 나는 맘에 들면 그거로 얼른 고르라면서 재촉했다. 내 말에 통명스럽게 더 고르는 척 기다려 보라고 이야기하시면서도 다른 휴대폰들은 맘에 안 드는지 고르고 있지 않으셨다. 나는 아이폰을 가리키며 이 카드에서 요금도 빠져나가게 해달라는 말과 함께 카드를 내밀었다. 아빠는 처음에는 너무 비싼 데라며 궁 시렁 대시더니 신분증을 내밀면서도 얼굴에는 이래저래 근심이 많은 듯한 표정을 하고는 말하셨다.

"고마워. 딸래미"

그렇게 휴대폰을 사드리고, 나는 다시 자취방으로 돌아왔다. 피곤한 마음에 집에 들어오자마자 가방을 내던지고 침대에 누워서 여느 때와 같이 집에 잘 들어가셨는지 전화를 걸었다. 아빠는 휴대폰으로 이것저것 만지는 듯 대충 대답하시고는 금방 전화를 끊으셨다. 침대에 누워서 휴대폰을 보다 문 듯 열세 살 처음 컬러 폰이 나왔을 때 아빠가 내 휴대폰을 사 오던 날이 떠올랐다.

어렸을 적, 집에서 걸어서 오 분 거리에 살던 고모네 집에 종종 들러서 밥을 먹기도 하고, 반찬을 얻어 오기도 했다. 아들만 둘인 고모는 마치 내가 딸 인양 엄마처럼 틈틈이 잘 챙겨 주었다. 그날도 고모가 바쁜 아빠 대신 밥을 챙겨 주던 날이었다.

오빠들은 이미 앉아서 밥을 먹고 있었다. 그러고는 뭔가 일이 있는 듯 후다닥 밥을 먹고 일어나 방으로 들어가 버렸다. 고모부와 둘이 앉아 잔뜩 차려진 밥을 허겁지겁 먹고, 궁금한 마음에 작은오빠 방에 들어서면서 뭐 하는지 물었다. 오빠는 새로 산 휴대폰을 이렇게 저렇게 만져 보고 있었다. TV에서만 보던 가로로 돌아가는 그 휴대폰이었다. 궁금하기도 하고 보고도 싶었지만, 괜히 보여달라고 하면 가지고 싶어 하는 게 티가 날까 봐 퉁명스러운 목소리로 휴대폰을 샀냐고 물었다. 오빠는 계속 휴대폰을 이리저리 만지면서, 나의 질문이 귀찮은 듯 대충 대답했다. 나와 두 살 터울인 오빠는 사춘기여서 그랬을지 몰라도 왠지 그 대답이 서운하기도 했다.

나는 내심 그 휴대폰이 부럽기도 하면서, 어린 나이에 자존심은 있어서 보여 달라는 이야기도 못 했었다. 휴대폰을 만지는 오빠를 옆에서 바라보다가 거실에 TV를 보고 계신 고모부 옆으로 가 앉았다. 그런 내가 안타까워 보였는지 고모부는 아련한 눈빛으로 가지고 싶냐고 물어보셨다. 나는 딱히 대답하지 않았다. 가만히 나를 보시던 고모부는 내 팔목을 잡으며 고모부가 사줄게라면서 나를 낚아채듯 데려 나가셨다. 차를 타고 휴대폰 가게를 가는 걸 알면서도 나는 계속 생각했다. 열세 살이라는 그 어린 나이에 나름 눈칫밥을 먹고 살아서 그런가 어린 마음에 '고모네에서 밥도 얻어먹고 휴대폰까지 얻어오면 너무 눈치 없는 조카가 아닐까. 고모부가 이걸 나에게 사주면 우리 아빠는 오빠들이 두 명이니 두 명을 사줘야 하는 건 아닐까?'라는 생각했었다.

휴대폰 가게에 들어서자, 고모부는 직원에게 아까 사 갔던 휴대폰을 보여달라고 했다. 왠지 모르게 직원이 휴대폰을 꺼내 보여주기 전에 돌아가야 할 거 같다는 생각이 들었다. 나는 다음에 오자며 고모부를 그 가게에서 끌고 나왔다. 다시 차에 타면서, 고모부는 어떤 영문인지 모르겠다는 듯이 나를 보며 자꾸 왜 사준다는데 싫다고 하는지 계속 물으셨다. 괜스레 가지고 싶냐고 물어봤을 때 대답하지 못했던 스스로에게 화가 나기도 했다. 고모부의 물음에 아무 대답도 안 하고 나는 집에 가보겠다는 인사만 대충 하고는 집으로 바로 돌아왔다. 집에 들어오자마자 온방에 불을 다 켜두고, 이불을 뒤집어쓰고는 한참을 울다가 잠들어버렸다. 새벽 늦게 들어오는 아빠의 소리에도 쳐다보지도 않고 자는 척을 하고 있었다. 들어 오시자마자 켜져 있던 방 불을 하나씩 끄시고는 씻으러 들어가셨다.

다음 날 아침 퉁퉁 부은 눈을 떴을 때는 이미 아빠는 또 새벽같이 출근하신 듯했다. 등교 준비를 하려고 일어났을 때, 식탁 위에 놓인 쇼핑백 하나가 눈에 들어왔다. 얼핏 봐도 새로운 휴대폰인 듯했다. 내 것은 아닐까? 라는 기대를 내심 하면서도 혹시나 하는 마음에 휴대폰을 나는 쓱 꺼내 보다가 도로 넣어 두었다. 그리고 학교에 가서도 계속 그 쇼핑백이 아른거려 집에 가서 꼭 확인해 봐야겠다고 생각했었다. 하굣길에 그날도 고모네로 저녁을 먹으러 가서 오늘 아침에 본 휴대폰 이야기를 했다.

"고모, 아침에 우리 집 식탁 위에 휴대폰이 놓여 있던데…"

고모는 당연하단 듯이 대답했다.

"너 주려고 사다 놓았나 보다. 오빠도 참 그 휴대폰을 주고 가든가,

쪽지를 적어 주든가, 그냥 휴대폰만 그렇게 놓고 갔어?"

나는 저녁을 먹자마자 집으로 달려갔었다. 그러고는 휴대폰을 꺼내 충전하면서 이것저것 눌러 보았다. 그리고는 그날도 오늘처럼 아빠에게 전화해 안부를 물었다. 이미 내 휴대폰인 걸 알면서도 혹시나 하는 마음에 이 휴대폰이 내 선물인지 물었다. 아빠는 무뚝뚝하게 내 안부에 답하시고는 맘에 드는지 물으셨었다. 그 전화를 끊고도 휴대폰을 보면서 어딘가 모를 감정들이 복잡했었다. 내 마음을 어떻게 읽었던 건지, 이걸 감사하다고 표현해야 하는 건지 내심 휴대폰이 맘에도 들고 좋기도 했었는데 마음 한편이 불편했었다. 이제 와서 생각해 보면, 그날 내 눈빛을 본 고모와 고모부가 어쩌면 그런 이야기를 하시지 않았을까 싶다. 어렸을 적 바쁜 아빠가 늦게나마 휴대폰을 사 오시고 식탁 위에 덩그러니 놔두고 가신 심정이, 그리고 좋은 것만 해주고 싶었던 마음이 이제 조금은 이해가 간다.

나이를 먹으면서 부모와 자식의 보호자 위치가 바뀐다는 이야기가 이런 건가. 이제는 내가 그만큼 책임져야 하는 나이가 아닐지 싶기도 하다. 나는 어쩌면 아빠와 연락이 안 될까 봐 불안함에 나 스스로 만족하기 위해 휴대폰을 해드리지 않았나 라는 생각도 해보았다. 책임감의 무게에 눌려 내일은 주말이니 늦잠이나 자야지 하는 마음에 피곤한 몸을 이끌고 오늘도 거실에 불을 켜 놓고 이불 속으로 들어가 버렸다.

월급의 반, 인생의 반

　늦은 오전 거실에는 형광등을 켜 놨는지 구별이 안 될 정도로 햇살이 집에 들이쳤다. 주말이면 정말 피곤해서 침대에서 나오기 싫다. 어제 휴대폰을 사드린 걸 생각 하면 내심 뿌듯하면서도 다음 달 나올 카드 값이 겁나기도 한다. 몇 시쯤 되었나 라는 생각에 휴대폰을 보니 고모에게 부재중 전화가 와 있었다. 눈만 겨우 떠서 고모에게 전화를 걸었다. 고모부가 꽃게를 사 왔다면서 점심을 먹으러 오라는 전화였다. 고모에게 아빠도 오시는지 물었다. 오늘도 바쁘신지 못 오신다고 하셨다고 하셨다.

　전화를 끊고 나는 주섬주섬 옷을 챙겨 입고 고모네 집으로 향했다. 점심시간이라서 그런지 고모네 집 엘리베이터 입구에서부터 벌써 밥 냄새로 가득했다. 고모네 집 문은 여느 때처럼 열려 있었다. 내가 들어가니 고모는 밥을 퍼 담으면서 나에게 얼른 앉으라고 이야기했다. 식탁 한가득 차려진 반찬들이 보였고, 가스레인지 위에는 김이 폴폴 나는 꽃게찜에 그 옆에는 꽃게탕이 끓여지고 있었다. 나는 식탁에 앉자마자 고모에게 아빠는 뭐가 그렇게 바쁘셔서 주말에도 못 오게 된 건지 투정 부렸다. 고모는 꽃게찜을 그릇에 덜어 담으시면서, 내 투정을 달래듯이 이야기했다.

　"그래도 지금이 났지, 너 어렸을 때는 너 때문에 매일 왕복 세 시간씩 운전하고 출퇴근했었는데. 그래도 지금은 너 다 키웠으니 쉬엄쉬엄하는 거지 뭐."

나는 속으로 굳이 나 때문일 리가 없다는 생각에 고모 말을 그냥 맞장구치듯이 넘겼다.

"맞아요. 일없었으면 주말에 집에서 TV만 보고 앉아 계셨을 텐데요."

거실에 앉아서 TV 보고 계시던 고모부는 내 이야기에 눈치가 보이셨는지 일어나셔서 TV를 끄시고 식탁에 앉으시면서 "고모부는 TV 잘안 봐"라며 묻지도 않은 말에 농담처럼 이야기하셨다. 매콤한 냄새에 꽃게찜, 꽃게탕에 흘려서 아무 생각 없이 배부르게 먹고는 늘어져 앉아 있었다. 고모는 사과를 가져오더니, 껍질을 깎아 주면서 이야기하셨다.

"너 유학 보낼 때, 오빠가 진짜 고민 많이 했었는데 지금 생각해 보면 그때 보내길 참 잘했어. 바쁜데 맨날 너 혼자 집에 있다고 그렇게 일 다녔으면 과로로 쓰러졌을 거야"

옆에 앉아 있던 고모부가 고모의 말에 공감하는 듯이 우리 애들도 보냈으면 좋았을 걸 이라며 이야기하자, 고모가 옆에서 한숨을 쉬면서 이야기했다.

"어휴, 유학이 한두 푼인가? 오빠도 애 하나인데 맨날 그렇게 일하면서도 힘들게 보냈는데 어떻게 둘을 보내."

고모부가 한마디 하기 전에 내가 먼저 대답했다.

"저도 유학은 잘 다녀온 거 같아요. 그때 그렇게 집에 혼자 덩그러니 앉아서 있었던 생각 하면... 유학 다녀온 거 아니었으면 한국에서 지금 뭐 하고 있을지 상상도 안 되고..."

대답은 했지만, 그때 진짜 철없어서 그랬다고 생각했다. 잠시 앉아 있다가 오후에 약속이 있다는 핑계로 자취방으로 돌아왔다. 오는 길에 아까 고모가 했던 말들이 계속 머리에 맴돌았다.

한 번도 날 보려고 굳이 그 먼 길을 매일 출퇴근 하시며 다녔다고 생각해 본 적이 없었다. 그때는 주말이 되기 전날에도 늦게 퇴근하는 아빠가 한편으로는 짜증 나기도 했었다. 그나마도 주말이면 나와 대화 대신 러닝 바람으로 온종일 소파에 누워 TV와 함께 거실을 점령하셨었다. 소파와 하나가 되어 버린 모습을 보면서 나는 주말이 아깝다는 생각이 들었었다. 주중이면 내가 일어나기 전에 출근하시고, 나는 혼자 대충 챙겨 먹고 전날 저녁에 다려 놓았던 교복을 입고 학교에 갔었다. 학원까지 마치고 집에 돌아오면, 빨래도 설거지도 내 몫이었다.

열네 살이 되던 해, 어디서 들었던 이야기 인지 유학 가면 집에서 밥 챙겨 주는 사람도 있고, 빨래도 해주고, 학교 다니면서 공부만 하면 된다고 해서 유학 보내 달라는 이야기를 했었다. 처음에는 아빠는 안 된다고만 하셨었다. 그때는 정말 철없던 생각에 유학을 갈 그럴싸한 이유를 만들어 내야겠다고만 생각했었다. 그러고는 집에 혼자 있는 거도 싫고, 살림 하는 것도 지겹다면서 펑펑 울었었다. 그때 십 분 동안의 정적과 침묵 그리고 아무 말 없이 있던 아빠가 했던 말을 아직도 기억한다.

"그래, 아빠가 비행기 표랑 좀 알아볼 테니까. 가장 빠른 일정으로 잡아보자"라고 하셨었다.

그때 나는 어쩌면 반은 그냥 현실 도피처럼 반은 비행기를 타고 싶은 마음이었다. 그 이야기를 하고 나는 일주일 만에 싱가포르행 비행기를 탔다. 아빠는 나에게 일 년 치 짐을 싸주시면서도 걱정이 되셨는지 비행기를 타러 가는 나에게 이야기했다.

"한 달만 있어 보고, 힘들면 언제든 돌아와도 돼. 그래도 우리 딸 선택에는 후회가 없길 바란다."

그때는 나는 유학이 그렇게 돈이 많이 들지도 그리고 이렇게 오랜 시간 끝에 내가 한국에 돌아오게 될지도 몰랐다. 아빠는 나보다 일이 먼저라고, 항상 바쁘기만 하다고 생각했었는데, 주말이면 꼼짝도 하기 싫어서 늦잠 자는 직장인이 되어 보니 알 법도 하다. 어렸을 적 혼자 있는 내가 걱정되어 세 시간이나 되는 거리를 밤늦게 운전해서 다니셨다고 생각하니 괜스레 주말에 누워서 TV만 보던 아빠에게 짜증 냈던 게 미안해졌다.

대충 계산기를 두드려 보니, 나 하나 키우는데 한 달에 월급에 절반 이상은 쏟아부으신 듯하다. '내가 서른 살이니, 아빠 인생의 절반 그리고 월급에 절반은 내가 훔쳐 간 거 같네…'라는 생각에 무거운 책임감과 불안감이 동시에 느껴졌다.

집에 들어오면서 습관처럼 아빠에게 전화를 걸었다. 그때도 지금도 여전히 내 전화에 덤덤하게 대답했다. 오늘따라 미안하다고, 고맙다는 이야기가 문득 하고 싶었지만, 삼십 년 동안 못 한 말이 쉽게 나올 리가 없었다.

남인 듯 가족인 듯

평소처럼 퇴근하고는 돌아오는 길에 아빠와 통화를 하면서 자취방에 들어섰다. 여전히 수화기 너머로는 무뚝뚝함과 어색함이 묻어났다. 내가 성인이 되어서인지, 오랜 시간 떨어져 있었던 탓인지 여전히 아빠와 나는 가까운 듯하면서도 어색했었다.

겉옷을 걸어 두고는 배고픔에 바로 라면을 먹기 위해 가스 불 위에 냄비를 올렸다. 휴대폰에서 울리는 알람에 라면을 제쳐두고 휴대폰을 보았다. 육 년 전 이맘때쯤 사진이라며, 울린 알람이었다. 라면을 먹으면서 휴대폰에 사진들을 한 장씩 넘기다가 환자복을 입은 아빠가 웃으시면서 브이를 하시던 사진이 눈에 보였다.

'맞아. 나 아빠 때문에 한국에 돌아왔었지…'

문득 내가 한국에 돌아왔던 이유 그리고 아빠가 아팠던 그날들이 스쳐 지나갔다.

나는 해외에서 졸업하고, 운 좋게 취업까지 했었다. 해외 있으면서도 일 년에 한 번씩은 방학이나 휴가면 비자 때문이라도 꼭 한국으로 잠시라도 왔다가 가야 했다. 내가 한국에 돌아오기로 맘먹던 육 년 전 그날도 나는 휴가에 맞춰서 한국에 잠깐 머물기 위해 돌아왔었다.

인천공항에 도착할 때면 항상 아빠는 날 기다려 줬었다. 그때도 게이트를 나서자, 저 멀리 손을 흔드는 아빠가 보였다. 일 년 만에 만난 아빠는 어째 더 젊어 보이는 느낌이었다. 내가 올 때마다 딸에게 젊어졌다는 소리 듣는 게 좋아서인지 언젠가부터 매번 검은 머리로 염색하고는 마중을 나오셨었다. 오래간만에 만난 나에게 아빠는 조금은 쉰 목소리로 왜 이렇게 말랐냐면서 잘 좀먹으라면서 밥 먹으러 가자고 하셨다. 아빠의 쉰 목소리와 기침 소리가 그냥 감기이겠거니 하고는 나는 대수롭지 않게 여겼다.

그날 저녁 오래간만에 왔다면서 고모와 고모부도 식사 자리에 오셨다. 같이 식사하는 자리에서 아빠가 계속 기침하니 고모는 병원을 가보라면서 기침을 이렇게 한 지 벌써 몇 달째 아니냐면서 혼내시듯 이야기하셨다. 아빠는 괜찮다면서 고모의 이야기를 음식 먹는 소리로 삼켜 버렸다.

식사를 하고, 집으로 돌아와 차에서 캐리어를 내리는 모습을 아파트 경비 아저씨께서 보셨다. 경비아저씨에게 가볍게 눈인사하고는 캐리어를 끌고 아파트 안으로 들어가면서 드라마 속의 주인공처럼 아빠를 불렀다.

"아저씨 빨리 와요!"

그 순간 경비아저씨는 눈빛이 바뀌시더니 아빠와 나를 번갈아 보았다. 아빠는 나에게 얼른 뛰어오시더니 꿀밤을 때리시고는 마치 경비아저씨가 들으라는 듯 소리쳤다.

"아빠한테 아저씨가 뭐야! "

혼자 사는 줄만 알았던 9층 아저씨가 어느 날 젊은 여자를 데리고 왔는데, 그 젊은 여자가 아저씨라고 부르니 눈이 동그래질 만하다. 그렇게 아빠를 놀리고는 신나게 집에 들어섰는데, 그날따라 유난히 혼자 계셨던 공간이라서 그런지 퀴퀴한 냄새가 방 안 가득했다. 집에 들어와서도 기침 소리는 끊이지 않았다. 그날 저녁엔 기침 소리 때문에 잠을 설칠 정도였다. 자다가 깨어 방에서 나와서 괜찮으시냐고 몇 번이나 물었다.

다음 날 저녁에도 기침이 멈추지 않자, 이제는 안되겠다고 생각하셨는지 내일 병원을 가보겠다고 하셨다. 나는 이왕이면 대학병원에 가셔서 검사도 받고 오라고 했다. 병원을 다녀오시고는 걱정되는 눈으로 조직검사를 해봐야 할 것 같아서 낼모레 입원을 해야 한다고 이야기하셨다. 조직검사를 뭐 때문에 받는지 조직검사를 하면 얼마나 병원에 있어야 하는지 나는 그 자리에 앉아서 꼬치꼬치 물었다. 아빠는 단순한 검사라며, 걱정할 정도 아니라고 내 질문 세례에 하나하나 차분하게 답해 주셨다. 하필이면 내가 잠시 한국에 나왔을 때 아프다면서 농담처럼 아쉬워하는 표정을 지으시면서도 내가 잔소리하려고 하면 어린아이처럼 아픈 척을 하셨다.

얼마 지나지 않아 조직검사를 위해 입원한 아빠를 찾아갔었다. 기침하면서도 웃었던 모습은 온데간데없이 힘없이 축 처져서 환자복을 입은 모습을 보니 마음이 찡했다. 아빠는 어딘가 불편하신 듯 계속 기침을 했었다. 조직 검사를 받고 나서는 폐에는 호스를 하나 꼽고는 나쁜 피를 빼내야 한다면서 진통제 하나에 의존해 지친 기색으로 누워 계셨다. 누워 있다가도 내가 농담처럼 카메라를 들이밀자 웃으시며 브이를 그리시던 아빠 사진이 아직 내 휴대폰에 남아 있는 그 사진이다.

병원에 누워있는 아빠를 두고는 집에 들어올 때면 여전히 허전했었다. 집에 가만히 앉아 있을 때면, 아빠는 퇴근하고 오시면 이 공허하고 퀴퀴한 냄새 나는 집에서 혼자 무슨 생각을 하셨을지라는 생각이 들었다. 나름의 아늑함이 있기는 했지만, 혼자 지내셨었던 흔적들이 여기저기 눈에 띄었다. 수북이 쌓여 있는 책장 위에 먼지들이 더 퀴퀴한 냄새를 부각되게 하는 듯했다. 책장 끝자락에는 몇 년 전 어버이날에 드렸는지 기억도 나지 않는 카네이션 조화가 그대로 놓여 있었다. 빨갛던 그 꽃이 먼지가 쌓여 자줏빛으로 변한만큼 너무 많이 시간이 지난 것 같았다. 지금 생각해 보면 아빠가 아팠던 건 그 수북한 먼지 속에 있던 외로움 때문이 아닐지 싶다.

대학을 졸업하고 한국에서 취업할 거라고 했었는데, 어쩌다 보니 또 해외인 걸 보면 나는 그냥 들어올 생각이 없었던 것 같다. 아니 한 번도 안 했던 것 같다. 지난번에 가자고 하셨던 등산도 아직 못 가봤는데, 가쁘게 숨 쉬는 아빠가 등산을 갈 수 있을지라는 생각이 스쳤었다. 그 순간, 두려움이 나를 급습했다. 마치 시간이 빠르게 지나가는 듯한 느낌이었다. 아직 아빠랑 함께 하고 싶은 일들이 많은데, 아빠가 갑자기 어느 날 사라질까 봐 숨이 막히는듯했다. 나의 유일한 가족이 사라질까 봐 두려웠다. 아빠 없는 세상이 무척이나 무섭게 느껴졌다. 매번 공항에 날 데리러 오셨던 아빠의 모습들이 하나하나 떠오르면서 염색하셨던 그 모습들이 결코 젊어진 모습은 아니었다는 생각이 들었다. 어쩌면 함께 보낼 소중한 시간이 얼마 남지 않았다고 생각하니, 이대로 다시 싱가포르에 돌아간다면 후회할 것이 분명했다.

많은 고민 끝에 다시 싱가포르로 돌아가서 사표를 쓰고는 모든 생활을 정리하고 한국으로 귀국해 버렸다. 내가 한국에 돌아오고 나서도 몇 달 동안 아빠는 병원을 통원 하면서 치료를 받으셨다. 어느 정도 건강을 되찾으시고, 나는 아빠와 함께하지 않으면 후회할 것 같은 일들을 하나하나 채워 가기 시작했다. 그중에 가장 먼저 했었던 일은 함께 등산 가기였었다. 그동안 운동을 얼마나 안 했는지, 나는 아주 죽을 지경이었다. 환자였었던 아빠는 이전보다 더 건강해지신 듯 내 앞에 먼저 걸으시면서 마치 내가 어렸을 때 그 꼬마인 것처럼 디딘 곳만 딛고 따라오라고 했었다.

그 후로도 나는 자취하기 전까지 아빠와 한집에서 지냈었다. 너무 오랫동안 떨어져 있어서일까 조용한 집에 아무것도 안 하고 둘이 있을 때면 서툴고 어색했다. 성인이 되고 고요한 집에 둘이 있으려고 하니 둘 중의 한 명은 방에서 나오지 말아야 그 어색한 공기가 사라지는 듯했다. 내가 없었을 때는 샤워를 하고 속옷 차림으로 나왔을 아빠도 이제는 내가 있으니, 습기가 가득한 화장실에서 옷을 젖은 채 챙겨 입고 나오시고, TV 소리, 아침에 밥 차리는 소리 하나도 내가 깰까 봐 조심하는 모습들이 나를 더 눈치 보게 했었다.

나도 이 집에 얹혀사는 하숙생처럼 빨래와 집 안 청소를 자처해서 했었다. 같은 집에 살면서도 혼자 있었던 시간이 길어서인지 말하지 않았지만, 어딘가 모르게 불편했었다. 어쩌면 시간이 아빠와 딸 사이를 남처럼 만들어 놓은 건 아닌가 싶었다. 얼마 안 돼서 취업하고, 직장과 가까운 곳 지내기 위해 자취방을 얻어 이사를 하였다. 아빠와 함께 살던 집에서 짐을 챙겨 나오면서 책장 끝자락에 있던 먼지가 쌓여 자줏빛으로 변해 버린 카네이션을 버리고 새로운 꽃으로 놓아두고 나왔다.

한국에 돌아와서 자취 생활하기 전까지 내가 사는 이유는 온통 아빠였었던 듯하다. 생각해 보면 등산할 때까지만 해도 이런 어색함은 없었던 것 같다. 어쩌면 아빠는 내가 아빠에게 너무 많이 의지할까 봐 마치 날 미뤄내듯 거리감을 두지 않았나 싶다. 가족인 듯 익숙하고 남인 듯한 어느 정도의 거리감이 어쩌면 서로에 대한 존중이자, 나에게 독립성을 길러 주기 위함이 아니었을까 싶다.

여전히 난 아빠 딸

이놈의 월요일은 왜 이렇게 빨리 돌아오는지, 주말은 정말 5G 속도인 듯하다. 아침 출근길에 지하철 속 사람들에게 이리저리 치여 보니 내가 왜 한국에 와서 이 치열한 사회에 살고 있나 싶었다. 그래도 오늘이 월급날인 걸 생각하면 미식축구하듯 지하철 이 모든 사람을 밀쳐 버리고 출근길을 갈 수 있을 것 같은 기분이 들었다.

한바탕 경기를 한 듯 너덜너덜해져서 사무실에 도착해서 이제 업무 준비하려고 컴퓨터를 켜 놓고는 커피를 타기 위해 탕비실로 향했다. 오늘도 오전 열 시부터 퇴근 시간까지 미팅이 쉴 틈 없이 있는듯하다. 이렇게 미팅하고 나면 오늘 아침에 전달받은 보고서도 수정할 시간이나 있을지 모르겠다. 아니나 다를까 퇴근 시간쯤 되니, 팀장이 나를 불러 이제껏 뭐했냐며 보고서에 관해 물었다. 그 얼마나 걸린다고 이야기하는 팀장에게 '하루 종일 이렇게 미팅하고 도대체 언제 수정하라는 거야!'라며 목구멍까지 차오르는 말을 참고는 내일까지 하겠다고 하고 약속이 있는 듯 퇴근해 버렸다.

오늘은 퇴근길 누구라도 붙잡고 하소연해야 할 거 같아서 휴대폰을 보다가 습관처럼 아빠에게 저녁 안 드셨으면 같이 먹자며 전화를 걸었다. 아빠는 짜증 섞인 내 목소리에 뭐가 먹고 싶은지 물었다. 고기를 사 주시겠다면서 집 근처 고깃집에서 보자고 하셨다.

고깃집에 들어서서 앉자마자 오늘 회사에서 있었던 일들을 이야기했다. 어쩌면 이 일이 나에게 너무 맞지 않는 일인 거 같다고, 내가 요령이 없어서인지 나한테만 일이 몰리는 느낌이라고 짜증 섞인 말투로 이야기했다. 한참 내 이야기를 묵묵하게 들어 주시던 아빠는 긍정적으로 생각하라며, 왜 그런 생각을 하냐면서도 세상에 자기 좋은 일만 하는 사람이 어디 있냐고 한마디 하셨다.

"그냥 내 편 좀 들어주면 안 돼요? 나 그만 먹을래요!"

나는 순간 서운한 마음에 소리치고는 먹던 젓가락을 내려놓고 나와 버렸다.

아빠는 그래도 집까지 태워다 주겠다면서 나를 따라 나오셨다. 차에 타고 집으로 가는 동안에도 나는 서운하다며 다 싫다면서 어린애처럼 징징댔다. 집에 다 와 갈 때쯤, 아빠가 입을 열었다.

"딸, 서운했었니? 아빠는 항상 딸이 잘됐으면 하는 마음이고 항상 딸 편이야."

지금까지 무뚝뚝했던 아빠의 다정한 말에 나도 모르게 눈물이 났다. 내가 훌쩍이니 이야기를 이어 하셨다.

"회사에서 있었던 일들은 마음을 가다듬고 차분하게 긍정적으로 생각해 보렴. 스스로 너무 많은 것들을 어려워하지 말고. 빨리 잘된다고 그리고 더디 된다고 불안해할 필요 없다. 사람마다 다 때가 있어. 싫은 일도 묵묵히 노력하다 보면 기회는 꼭 오기 마련이다. 그 기회가 왔을 때 알아보고 잡아야 하지 않겠니?"

아빠의 이야기에 훌쩍이는 눈물을 닦아내고는 뭔가에 맞은 듯 집에 도착할 때까지 넋이 나가 있었다. 머릿속으로 수많은 생각들이 스쳐 갔다. 왠지 집에 빨리 가서 오늘 했었어야 하는 보고서 수정을 해야 할 거 같다는 생각이 들었다.

집 앞에 도착하여 차에서 내리려고 하니, 아빠는 뒷좌석에 있는 반찬이 담긴 쇼핑백을 쥐여 주셨다. 미안한 마음에 속삭이듯이 작은 목소리로 이야기했다.

"죄송해요"

아빠는 내 어깨를 토닥이면서 빨리 올라가서 쉬라는 눈빛으로 이야기했다.

"딸 힘내"

반찬이 가득한 쇼핑백을 들고서 집으로 들어가면서 혹시나 하는 마음에 뒤를 돌아보니 여전히 내 뒷모습을 보고 계셨다. 나는 웃으면서 손을 흔들고는 집으로 들어왔다.

집에 들어와서도 아빠가 했었던 이야기들이 머릿속에 맴돌았다. 생각해 보면 아빠는 나에게 무언가 선생님처럼 가르쳐 주신 적은 없었다. 그저 한 가장으로 아빠로서 그리고 멋진 남자로서 열심히 최선을 다해 살아가는 모습을 보여주셨던 거 같다.

아빠는 여전히 등산했던 그날처럼 경험하셨던 그 길 중 더 나은 길로 갈 수 있게 나의 지지대가 되어 주시는 거 같았다. 이미 걸어본 등산길을 알고 계시는지 미끄러워 넘어지지 않을 수 있는 흙과 돌을 디딜 수 있게 그대로 딛고 오라면서 그려 주던 발자국. 넓고 든든했던 뒷모습. 넘어지려고 할 때면 꼭 붙잡아 주던 따뜻했던 손. 아빠는 어쩌면 내가 힘들고 지칠 때, 어디로 갈지 모를 때, 그냥 향하면 되는 곳인 듯하다.

이런저런 생각을 하다 보니, 오늘 회사에서 있었던 일들이 정말 별거 아닌 일 같았다. 회사에서 못다 한 일을 마저 해보려고 컴퓨터 앞에 앉았다. 컴퓨터가 켜지는 동안 책장 위에 책들을 바라보다가 수많은 책 중에 육 년 전 해외 생활을 접고 한국으로 돌아오는 비행기 안에서 읽었던 책이 눈에 보였다. 잃어버렸던 그 책을 오래간만에 꺼내보니 책 속 한쪽 페이지가 반으로 접혀서 있었다. 펼쳐 보니 그날 비행기 안에서 내가 밑줄로 그어 놓았던 한 소절이 눈에 띄었다.

"아버지의 사랑과 기도로 자란 딸은 좌절하는 법이 없다."

-고도원의 『사랑합니다. 감사합니다』 중에서-

나는 그날도 오늘도 여전히 아빠 딸이었다.

나만 알기 싫은 드라마

임주현

임주현   온라인 쇼핑몰에서 일하는 드라마 작가 지망생. 어렸을 때부터 온갖 괴
담과 순정만화를 섭렵한 만큼 기이하고 낭만적인 이야기를 쓴다. 본업은
계산기를 열나게 두드리는 경리이지만, 사람과의 관계에서 계산기를 두
드리는 건 선호하지 않는다. 손익보다 낭만을 좇는 비효율 추구자.

instagram: @rimuzu.exe

유명하지 않은데, 내가 봤을 때 미치도록 재미있는 드라마. 우리는 그런 작품을 흔히 '나만 알고 싶은 드라마'라고 한다. 개인 소장을 하고 싶은 만큼 재미있다는 뜻일 것이다. 나에게도 그런 작품들이 몇몇 있다. 하지만 이 글은 그런 훌륭한 작품들을 위한 게 아니다. 조잡하고도 엉성한, 감정만 앞서서 스토리가 엉망진창인 드라마. 이 글에서는 그런 난감한 작품을 다룰 것이다. 그런 드라마를 굳이 돈과 시간을 들여 왜 이야기하려는지 이해할 수 없는 사람들이 태반일 것으로 예상된다. 이유는 단순하다. 나만 알고 싶지 않은 드라마이기 때문이다. 그럼 같이 보고 죽자는 말이냐? 그건 또 아니다. 지금부터 이야기할 드라마는 내가 쓴 습작품들이기 때문이다.

　그렇다면 습작품을 주변 사람들에게 보여주면 되지 않냐! 라고 말하는 사람들 분명히 있을 것이다. 하지만 당신이 아는 작가들에게 물어봐라. 네가 쓰고 있는 작품, 내가 봐도 되겠니? 이러한 질문을 던지면 작가들 열 중에 아홉은 거절할 것이다. 특히 당신이 작가가 아니라면, 아홉이 아니라 열이 거절할 것이다! 왜냐고 묻는다면 간단하다. 작가에게 습작품이란, 맨몸이나 다름없다. 아담과 이브가 선악과를 먹기 전, 에덴동산에서 알몸으로 하하호호 뛰어놀던 시절이라면 보여줘도 상관없겠다. 하지만 당신들은 이미 김은숙 작가님과 김은희 작가님 등 훌륭한 기성 작가님들이 쓰신 드라마라는 선악과를 먹은 상태이지 않은가! (물론 나도 마찬가지다) 그런데 어떻게 습작품을 보여줄 수 있을까. 난 목에 칼이 들어와도 당당히 말할 것이다. 차라리 죽여라! 내 습작품을 내 눈앞에서는 절대 못 보여준다!

여하튼, 이러한 복합적인 연유로 이 글을 쓰기로 마음먹었다. 내 글을 궁금해하는 사람들과 어떤 방법으로든 내 글을 보여주고 싶다는 나의 소심한 전시 욕구에서 파생된 '습작 에세이'를 말이다.

사랑은 모르겠고, 나라는 사람은 더 모르겠어 〈불 꺼진 교실〉

스물셋, 잘 다니던 시공회사를 그만두고 작가교육원에 들어갔다. 그곳에서 내가 가장 처음으로 쓴 드라마 습작품은 〈사모의 시대〉라는 시대극이었다. 배경은 연애의 시대라고 불리던 1920년 초반. 그 시절이 그렇게 불렸던 이유는 독립에 대한 희망이 저물어 가고, 연애로 현실을 회피하려 했던 조선인들이 급증해서였다. 주인공 태산은 그런 시대임에도 불구하고 독립을 꿈꿔 이중 밀정을 자처한 사람이었다. 대업을 위해 친일파 구명환의 딸 윤이에게 접근한 태산. 그는 사모(詐冒,

거짓으로 속임)를 위해 윤이에게 사랑에 빠진 척하였지만, 끝내 윤이를 진심으로 사모(思慕, 애틋하게 생각하고 그리워함)하게 된다.

이렇게만 보면 나름 그럴듯한 이야기 같지만, 실제 대본을 읽으면 "엥? 이게 이렇게 된다고?"라는 말이 절로 튀어나올 것이다. 사실 그러한 결과물이 나오는 건 너무나 당연했다. 이야기의 큰 틀을 잡는 법은 작가 선생님에게 배울 수 있었지만, 세부적인 내용을 꾸려나가는 건 오로지 작가의 역량이었다. 태어나서 처음으로 써본 드라마 대본이 어떻게 기성 작가들만큼의 결과물과 비교될 수 있을까? 하지만 그때는 나에게 굉장히 실망했다. '이것보다는 더 잘 쓸 줄 알았는데'라는 생각에서였다. 돌이켜보면 굉장한 나르시시즘에 사로잡혀 있었던 것 같다. 이번 작품을 망쳤으면 다음 작품을 더 잘 쓰면 되는 건데, 나르시시즘에 사로잡힌 나는 쉽게 〈사모의 시대〉를 놓을 수 없었다. '잘만 쓰면 정말 대박이 날 것 같은데!'라는 근거 없는 자신감도 마구마구 솟구쳤다. 결국, 그렇게 기획하게 된 습작품이 〈불 꺼진 교실〉이었다.

"죽은 연인을 위해 밀정이 된 남자, 21세기에서 온 연인의 환생과 만나다!
독립군 산하 여학교에서 벌어지는 한 남자의 진혼극."

〈불 꺼진 교실〉은 〈사모의 시대〉를 완전히 개작한 작품으로, 남자 주인공은 그대로였지만 여자 주인공은 윤이가 아닌 나랑이라는 아이였다. 21세기 현대에 사는 영어 교생 나랑은 1920년대 일제강점기 시절로 트립하여 태산이라는 남자를 만나 독립운동에 휘말리게 된다. 기존에는 정통 로맨스 시대극이었다면, 개작하는 과정에서 판타지 로맨스 시대극으로 완전히 탈바꿈된 것이다! 장르의 특성상 시청자들의 흥미를 유발하기 쉬워서 습작품을 막 완성했을 때는 굉장히 흡족했던 기억이 있다.

그러나 이 습작품에는 치명적인 문제들이 있었다. 여러 가지 문제가 있었지만, 가장 큰 문제는 두 개였다. 첫 번째 문제는 내가 태산을 너무나 사랑했다는 점이었다. 분명 이야기의 주인공은 나랑인데, 감정선은 태산에게 집중된 것이다! 심지어 위에서 보다시피 로그라인도 태산에게 포커스가 집중됐다. 우습게도 감정에 취한 탓에 대본을 쓸 때는 전혀 알지 못했다. 습작품을 완성하고 다시 읽어봤을 때, 그제야 내가 태산을 너무 사랑한 게 티가 났다. 아무리 로맨스 드라마라고 한들, 처음과 끝을 마무리하는 주인공은 단 한 명이다. 그리고 이 습작품의 주인공은 엄연히 나랑이어야만 했다. 그 사실을 알고 있지만, 나는 나랑과 태산 사이에서 주인공을 쉽사리 정하지 못했다. 그게 이 습작품을 망친 첫 번째 문제였다.

두 번째 문제는 모든 인물이 너무나 쉽게 사랑에 빠진다는 점이었다. 심지어 그 사랑은 무척 맹목적이었다. 작중에서 태산은 죽은 연인(윤이)의 유골을 되찾기 위해 독립운동을 같이한 동료들을 배신한다. 그러나 윤이와 닮았다는 이유로 나랑에게 사랑을 느끼고, 끝내는 죽은 연인의 유골뿐만 아니라 자신의 목숨까지 포기해서 위기에 빠진 나랑을 구한다. 독립운동을 같이한 동료들까지 배신할 정도로 윤이를 사랑한 태산은 나랑에게 너무나도 간단히 사랑에 빠졌다. 사실 이 피드백은 작가교육원 동기들에게 들을 때 굉장히 부끄러웠다. 금방 사랑에 빠지는 내 성격이 고스란히 대본에 드러난 것 같다는 생각 때문이었다.

아주 어렸을 때부터 나는 쉽게 사랑하고, 쉽게 질려했다. 그게 사람이든, 게임이든, 물건이든 말이다. 어른이 되어서는 특히 직장과 사람에게 그랬다. 이런 성격 때문에 옷 갈아입듯 직장도 사람도 쉽게 여러 번 바꾸었다. 그런 내가 유일하게 질리지 않고 꾸준히 해온 게 글쓰기였다. 사실 글쓰기는 단순한 취미 활동을 넘은 존재였다. 여섯 살 생일 무렵에나 겨우 말이 트일 만큼, 말재주가 없는 나의 오랜 생존 수단이었다. 어쩌면 사랑의 대상이 아니라 생존 수단이었기 때문에 지금까지 질리지 않았던 것일 수도 있겠다.

그런데 작가교육원 합평 날, 〈불 꺼진 교실〉에 대한 가지각색의 혹평을 듣게 되면서 유일하게 오랫동안 해온 글쓰기 능력마저 형편없음을 깨닫게 되었다. 말보다는 그나마 잘한다고 생각했는데, 나는 말로도 글로도 제대로 표현할 줄 모르는 사람이었다. 그 생각이 들면서 나는 작가를 꿈꾸는 걸 접을까 진지하게 고민했었다. 생각해 보면, 나는 글 쓰는 행위를 좋아하는 게 아니라 '작가' 대우를 받는 걸 더 즐거워했기 때문이었다.

작가가 되고 싶은 걸까, 명예가 얻고 싶은 걸까. 고민하던 나는 오랫

동안 작가를 꿈꿨던 어린 시절에 대한 예의로 A 작가님 밑에서 보조작가 생활을 시작했다. 내 생각대로 적성에 맞지 않으면 일찍이 그만두고, 다시 사무직 계열로 구직활동을 하자는 마음에서였다. 그런데 나라는 사람은 참 알 수 없었다. 의외로 보조작가로 일하는 게 즐거웠기 때문이었다. 드라마화할 작품을 분석하는 것도, 새롭게 에피소드를 구상하는 것도, 씬 하나하나를 다듬는 것도, 재밌어서 시간 가는 줄 모를 정도였다. 시공회사에 다녔을 때는 10분만 야근해도 질색했는데, 매일매일 새벽까지 일해도 즐거웠다. 아마 성취감 높은 창작 활동으로 인한 도파민 폭발로, 그때 나는 조금 미쳤었던 게 분명했다.

그러다 업계 불황으로 보조작가를 관두고, 곧바로 B 작가님 밑에서 아주 잠깐 보조작가로 일하다 자진해서 그만두었다. 그 과정에서 또다시 '내가 작가를 꿈꾸는 게 맞는 걸까?'라는 의문이 피어올랐다. 업계는 점점 어려워지고, 내 능력은 하찮고 미미했다. 숨만 쉬고 있어도 점차 가까워지는 30대와 부모님의 정년에 어깨가 무거워질 무렵. 나는 C 작가님의 보조작가 면접을 가게 되었다. 그리고 C 작가님은 뜻밖의 말씀을 하셨다.

"나이가 어려서 안 부르려 했는데, 대본 보고 불렀어요."

그때 내가 포트폴리오로 제출한 습작품은 〈불 꺼진 교실〉이었다. 작가교육원 합평 수업에서 혹평받은 뒤로 부끄럽게만 여겼던 대본이었다. 그 말씀에 당황해서 이후로 질문에 목소리를 덜덜 떨며 답변을 제대로 이어가지 못했다. 그게 마음에 걸려 면접이 끝나기 전에 "제가 말주변이 없어서 답변을 제대로 못 한 거 같아 마음에 걸리네요."라고 말하니, C 작가님께서는 웃으며 이렇게 말씀하셨다.

"괜찮아요. 작가는 원래 대본으로 말하는 사람이니까요."

면접 결과는 끝내 불합격이었지만, 그 한마디에 나는 그간의 고민을 잊어버리고 한 가지 결심만 했다. 아, 나는 작가로 살아야겠다.

영원은 허상이 아닐지도 모른다 〈이대로 뛰어내릴 순 없다〉 와 〈페이크 컴퍼니〉

잠깐의 백수 생활을 즐기기 위해 친구를 만나러 지하철을 타고 가던 길이었다. 인생은 지하철과 같아서 수많은 사람이 내리고, 또 수많은 사람이 새로 들어온다는 이야기가 문득 떠올랐다. 타고 내리는 사람들을 보다 보니 정말 인생과 닮아있다는 생각이 들었다. 그렇다면 이 달리는 지하철에 갇혀있다면? 어쩌면 인생의 축소판처럼 보이지 않을까? 〈이대로 뛰어내릴 순 없다〉는 그렇게 시작된 이야기였고, 주인공 은세는 그렇게 뜬금없이 지하철에 갇히게 되었다.

"기억을 잃은 채, 끝없이 달리는 지하철에 갇힌 여자.

그녀를 기억하는 남자가 나타나면서 벌어지는 여자의 지하철 탈출기."

이 이야기의 핵심은 '인생을 살아가며 수많은 사람이 타고 내리는데, 결국 종착역에는 누가 있을까?'다. 나 같은 경우에는, 결국 종착역에는 나 혼자일 거라고 결론을 내렸다. 사람은 죽음을 피할 수 없는 필멸자이고, 나는 발버둥 쳐봤자 사람이기 때문이다. 죽음을 맞이하는 건 결국 혼자이니, 종착역은 결국 나 혼자 맞이하는 게 맞을 테다. 하지만 그렇게 결론을 내리니 무언가 마음이 쓸쓸했다. 그래서인지 〈이대로 뛰어내릴 순 없다〉는 아직도 마무리를 짓지 못한 채, 미완의 상태로 남아있다. 공허한 마음을 달래기 위해 새로운 이야기를 쓰고 싶었다. 그렇게 기획한 습작품이 로맨틱 코미디 장르의 〈노미오와 주리애〉였다. 대중적으로 많이 아는 셰익스피어의 〈로미오와 줄리엣〉을 모티브로 낭만적이고 영원한 사랑의 이야기를 쓰고 싶어 기획하기 시작했다. 그런데 막상 시놉시스를 쓰려고 하니 '영원한 사랑'에 대한 의문이 해결되지 않아, 단 한 글자도 쓸 수 없었다.

흔히들 영원한 사랑은 없다고 한다. 나 또한 그렇게 생각한다. 영원한 사랑도, 내 옆에 영원히 남을 사람도 없다고 말이다. 누군가는 꽤 비관적인 생각이라고 여길지도 모르지만, 나는 현실적인 생각이라 여긴다. 영원한 사랑이 실존하지 않기에 사회적으로라도 영원한 사랑을 약속하는 결혼이라는 제도가 만들어졌다고 생각한다. 사람도 마찬가지다. 내 옆에 영원히 남을 사람이 실존하지 않아 '내 사람들'이라는 표현을 사용하며 사람을 소유하고 싶은 마음을 은연중에 드러낸다고 여긴다. 내 생각이 맞다는 게 아니라, 일단 나는 그렇게 생각한다는 것이니 이 글을 읽는 여러분이 불쾌하지 않았으면 좋겠다.

여하튼 이런 생각을 가진 내가 '영원한 사랑'에 대한 이야기를 쓰려 하다니. 어불성설이었다. 하지만 그 시기의 나는 내가 가장 쓰지 않을 법한 이야기를 다루고 싶었다. 그래서 나는 '영원한 사랑'이 존재할 가능성에 대해 생각해 보기 시작했다. 그때 가장 큰 힌트가 되었던 게 보라색 장미였다. 보라색 장미의 꽃말은 두 가지다. 영원한 사랑, 그리고 불완전한 사랑. 같은 꽃이지만, 상반되는 의미를 가졌다는 점이 매우 흥미롭지 않은가? 나는 보라색 장미를 찾아보며 계속 생각했다. 왜 상반된 꽃말을 붙였을까. 그러다 문득 '사실은 상반되지 않았던 게 아닐까?'라는 생각이 들었다. 그리고 끝내 '불완전한 사랑은 영원하다'라는 결론에 다다랐다.

거기까지 생각한 나는 정말 기발한 발상을 했다며 스스로 감탄했다. 박찬욱 감독의 영화 〈헤어질 결심〉이 개봉되기 전까지는 말이다. 〈헤어질 결심〉에서는 불륜이라는 소재를 이용해 미완의 가치를 다루었다. 주인공들의 관계가 제대로 완결되지 못하였을 때, 비로소 주인공들의 사랑이 영원해졌다. 내가 말하고자 했던 '불완전한 사랑은 영원하다'라는 주제와 완전히 일치했다.

오랜 시간 생각했던 주제가 먼저 대중에게 작품으로 선보여졌을 때, 그것도 내가 상상하지 못할 정도로 완벽하게 작품으로 표현한 걸 보았을 때의 질투심과 허망함은 어마어마했다. 사실 박찬욱 감독님은 영화계의 거장이기에 내가 감히 질투심을 느낄 대상 자체도 아니었지만, 무슨 자신감이었는지 그때의 나는 그랬다. 이내 오기가 생긴 나는 그 누구도 생각지 못한 대단한 작품을 쓰리라 마음먹었다.

　무식한 자가 신념을 가지면 무섭다고 했던가. 얕은 지식으로 박사처럼 구는 것은 습작생이 드라마를 이론으로 배우는 과정에서 발생하는 흔한 증상이었다. 그리고 그 시절 나도 그 증상을 피할 순 없었다. 드라마는 무조건 거창한 주제 의식을 가지고 있어야 한다는 강박에 사로잡혀, 매번 작품을 구상할 때마다 생각은 꼬리에 꼬리를 물었다. 하지만 그다음 습작품을 쓸 때도, 다음다음 습작품을 쓸 때도 수만 가지의 생각은 오히려 독이 되어 집필에 지장을 주었다. 그렇게 완성하지 못한 습작품만 10개가 족히 넘어가고 나서야 내가 슬럼프에 빠졌다는 것을 깨달았다. 세상만사가 과유불급이라는 말을 그제야 체감했다. 하지만 한번 깊어진 생각은 도통 멈출 수가 없었다.

　습작생이라는 타이틀은 가지고 있지만, 정작 습작품을 쓰지 못하던 시절을 겪고 있던 와중이었다. 당시에 나는 모 아이돌 그룹 팬 활동을 통해 알게 된 언니가 한 명 있었는데, 이 언니를 D라 하겠다. MBTI 성향 중에서도 극한의 N 성향을 지닌 D는 나에게 이런저런 상상을 이야기하는 걸 좋아했다. 그리고 나는 D의 이야기를 듣고 같이 개발시키는 일을 즐거워했다.

　우리가 당시에 가장 심취했던 상상은 '만약 우리가 같은 회사에 다녔다면?' 이였다. 우리가 같은 회사에 다녔다면 탕비실에서 맨날 시시덕거리고 있지 않았을까. 큰 의미도 없고, 별로 특별하지 않은 상상에서 시작된 이야기는 우리의 작은 상상들로 꼬리에 꼬리를 물고 이어졌다. 등장인물이라곤 우리 둘뿐이던 이야기는 어느새 배경으로만 쓰이던 회사 구성원 하나 하나에게 인격이 부여되었고, 단순한 일상 코미디로 구성되던 이야기는 언젠가부터 '알고 보니 인턴이 산업스파이였다'라는 복합 장르물로 탈바꿈되었다.

이 이야기는 독특한 소재도 아니었고, 대단한 주제 의식을 가지고 있는 것도 아니었다. 그저 코미디에 심취한 우리가 단순히 우리 재밌으려고 만든 이야기였다. 그렇지만 이 일로 나는 슬럼프에서 조금씩 벗어날 수 있었다. 우리 입맛에 맞는 이야기를 구상하고, 캐릭터에 대한 이야기를 나누는 일이 얼마나 즐거웠던지. 연애하듯 밤새도록 메시지를 주고받으며, 대략 16부작 분량의 드라마를 한 편 써 내려갔다. 그렇게 만들어진 습작품이 바로 〈페이크 컴퍼니〉였다.

"회사는 이용당했을 뿐!
개그부라 자칭하는 회계팀에서 벌어지는 우당탕 페이퍼 컴퍼니 생활기."

아이러니하게도 위 로그라인을 완성했을 때는 D와의 연락은 끊긴 상태였다. 연이 끊긴 이유는 거창하지 않았다. 그저 서로의 삶이 바빠졌을 뿐이었다. 하루 종일 연락하던 시절의 D와 나는 때마침 일을 쉬고 있었기에 그렇게 할 수 있었던 것이기에, 아쉽기는 하지만 그렇다고 서운하지는 않았다. 우리는 언젠가 연이 끊길 거라는 걸 이미 짐작하고 있었다. 서로에 대한 악감정이 있어서는 아니었다. 단순히 인연이라는 건 유통기한이 있다는 걸 서로 잘 알고 있었기 때문이었다.

이 관계에 끝이 있을 걸 알고 있지만, 그럼에도 우리는 서로 교류하던 순간을 최선 다해 즐겼다. 〈페이퍼 컴퍼니〉의 시놉시스를 정리하며 그 시절을 곱씹던 나는 깨달았다. 관계의 기간은 유한하더라도 추억의 기간은 무한하다는 것. 그 사실을 무의식중에 알고 있었기에 D와 나는 그 순간을 최선으로 즐겼던 게 아닐까.

생각이 정리되자 오랜 시간 동안 방치한 〈이대로 뛰어내릴 순 없다〉와 〈노미오와 주리애〉의 시놉시스 파일을 차례차례 다시 열어볼 수 있었다. 사랑, 우정, 증오... 어떤 테마의 인간관계이든지 모든 관계에는 유효기간이 있고, 결국 인생의 종착역은 나 혼자 맞이하겠지만, 그 감정의 순간들은 남아있으니 절대 외롭지만은 않을 것이다. 지하철에 홀로 남겨진 은세도, 깨붙을 반복하다 끝내 마지막 이별을 맞이한 미오와 리애도, 그리고 나와 여러분도 말이다.

낭만과 뜬구름 사이에서 방황하는 꿈 〈리셋걸 오버도즈〉

C 작가님의 보조작가 면접에서 떨어진 뒤, 온라인 쇼핑몰에 취업했다. 임직원 수는 나를 포함해서 6명이었다. 수는 매우 적었지만, 사람들이 착해서 일도 잘 가르쳐주시고, 혹여라도 내가 소외감 들지 않도

록 무척이나 잘 챙겨주셨다. 나이에 비해 여러 회사를 전전했기에, 이렇게 선량한 사람들을 동료로 만날 수 있다는 건 정말 귀한 일임을 잘 알고 있었다. 그래서 뒤늦게 쏟아지는 다른 회사들의 면접 제안을 거절하고, 나는 이 회사에 자리 잡기로 결심했다.

문장으로 표현하니 정말 간단하게 결정 내린 것 같지만, 사실 결단을 내리기까지는 꽤 많은 시간이 들었다. 이게 맞는 결정인가? 작가 생활을 하려면 정규직보다는 계약직이 적합하지 않을까? 나 빚도 꽤 있는데, 이 정도 연봉으로 괜찮을까? 걱정에서 파생된 생각들은 꼬리에 꼬리를 물고 더욱 증식하였다. 그 생각들은 결국 해탈에 이르러 한 가지 결론에 이르렀다. 인생도 게임처럼 세이브 포인트를 정할 수 있다면 좋겠다. 이것이 〈리셋걸 오버도즈〉의 시작이었다.

"죽음으로 시간을 되돌리는 삶에 중독된 여자와
그녀의 시간에서 이탈한 남자가 함께 벌이는 기담낭설."

주인공 윤하는 고등학생 시절, 수학여행에서 소원을 빌었다가 우연히 리셋 능력을 얻게 된다. 여기서 리셋 능력이란, 죽음으로 시간을 되돌리는 힘을 말한다. 윤하는 시한부 판정을 받은 어머니에게 자신의 꿈을 이룬 모습을 보여드리고자, 리셋 능력을 이용해 몇 번이나 시간을 돌려 대국민 탤런트 서바이벌 프로그램에서 우승을 차지한다. 그러나 인간의 욕심은 끝이 없다는 말은 사실이었던 걸까. 점점 욕심이 생긴 윤하는 자신이 생각하는 완벽한 커리어를 위해 아주 작은 일에도 시간을 돌리기 시작한다. 그 무렵, 민속학과 대학원생인 명은 반복되는 시간에 기시감을 느낀다. 이내 명은 반복되는 시간에서 유일하게 반복되지 않는 윤하의 삶을 발견한다. '이 저주의 중심에는 윤하가 있다.'라고 직감적으로 생각한 명이 윤하를 찾아가면서 이야기는 본격적으로 시작된다.

이 이야기의 포인트는 누군가의 소원이 누군가에게는 저주가 되었다는 점이다. 우리는 때때로 분수에 넘치는 소원을 빌고는 한다. 나 또한 그랬다. 혼자서 피자 한 판을 해치워 놓고 체중 5kg만 빠지게 해달라고 빌었고, 아무런 노력 없이도 대기업에 가뿐히 합격시켜달라고 빌었고, 내 가슴을 보고 희롱하던 남자들이 차에 치여 처참하게 죽어버렸으면 좋겠다고 빌었다.

분수 넘치는 소원은 다른 사람에게 저주가 된다. 그때는 몰랐지만, 지금은 잘 안다. 첫 번째 소원은 샐러드만 먹으며 체중 감량하는 어떤 이를 비참하게 만드는 일이고, 두 번째 소원은 대기업에 들어갈 충분한 능력이 되는 어떤 이를 떨어트리는 일이고, 세 번째 소원은 목숨을 앗아가게 할 뿐만 아니라 어떤 이를 살인자로 만드는 일이다. 과유불급이라고, 소원 또한 마찬가지다. 과한 욕심이 담긴 소원은 빌지 않은 것보다 못하다. 그럼에도 윤하는 분수 넘치는 소원을 빌었다. 하지만 그 누구도 윤하를 힐난한 자격은 없다. 기회가 주어진다면 분명 여러분들도 그러지 않겠는가. 자신 있게 아니라고 말할 수 있는 사람이 있다면 메일 보내시길 바란다. 구구절절 사과문을 써서 보내겠다.

〈리셋걸 오버도즈〉는 회사와 습작생 생활을 병행하며 처음으로 마무리한 작품이다. 가장 최근에 탈고해서인지 가장 괜찮은 작품처럼 보인다. 물론 이 또한 나의 착각이 분명할 것이다. 한 3개월쯤 묵혀두고 난 후 다시 보면 비명이 절로 나올 게 분명하다. 언제나 그랬듯이 말이다. 그렇지만 〈불 꺼진 교실〉보다는 훨씬 퀄리티가 좋다고 자부할 수 있다. 근거 없는 자신감은 아니다. 그간 보조작가로 일했던 경험이 작가로서 나를 확실히 성장시켰기 때문이다.

입버릇처럼 하는 말이 있다. 세월은 그리 중요한 것도 아니지만, 무시할 것도 아니다. 두 번의 보조작가 경험이 딱 그랬다. 전자는 B 작가님을 모셨을 때였고, 후자는 A 작가님을 모셨을 때였다. B 작가님을 모셨던 건 딱 5일이었다. A 작가님과 계약을 종료한 지 얼마 되지 않아 심신이 지친 상태였는데, 급전에 눈이 멀어 높은 페이를 제시한 B 작가님 밑으로 들어갔다. 생활고로 인해 내가 불변의 진리를 잊고 있었다. 페이와 업무 강도는 정비례한다는 진리를 말이다!

5일 동안 나는 거의 잠을 자지 못한 채 탈고된 대본만으로 작품을 분석하고, 17쪽 분량의 테스트용 대본까지 작성했다. 그러던 와중에도 미리 계획된 일정이 있어 본가에 갔다. 고속버스를 타고 이동하며 아주 잠깐 잠에 들었는데, 핸드폰 진동에 깬 나는 순간적으로 '여기가 어디지? 나는 방 회장의 아들(가명, 작품에 나오는 작중 인물)을 만나러 가야 하는데….' 라는 이상한 생각에 휩싸였다. 48시간째 잠들지 못해서 현실과 꿈을 혼동한 것이었다. 그 생각이 꿈의 내용이라는 걸 깨닫기까지는 꼬박 5분 정도가 걸렸다. 그전까지는 나는 정말 방 회장의

아들을 만나야 한다는 이상한 생각에 사로잡혀 있었다. 혼수상태와 유사한 경지에 이르니 이러다 죽겠다 싶었다. 결국 본가에 도착하고 며칠 안 돼서 나는 계약을 종료했다. 반년 정도 푹 쉬고 투입된 거라면 소화할 수 있는 일정이었지만, 이전 회사와의 계약을 종료한 지 얼마 되지 않은 상태였기에 당시의 내가 도저히 버틸 수 있는 일정이 아니었다.

그때의 결정에 후회하진 않지만, 가끔 생각했다. 만약 독하게 버텨서 B 작가님을 모셨다면 어땠을까? 5일 동안 나는 작품 분석에 대본 작성까지 하면서 놀라울 정도로 집필 속도가 빨라졌다. 이전에는 문장 하나하나 고심해서 쓰느라 습작품 집필 기간이 1년이 넘어갔다. 그런데 B 작가님을 모신 5일간의 경험 이후, 〈리셋걸 오버도즈〉를 쓰는데 딱 1달이 걸렸다. 마지막 씬을 완성하고 '엔딩'을 쓰면서 대본을 마무리했을 때 정말 형용할 수 없는 기분을 느꼈다. 만약 B 작가님을 계속 모셨더라면 지금보다 더 성장하지 않았을까? 이따금 그런 생각이 들었지만, 이내 접었다. 그때의 나는 최선의 선택을 했을 거라 믿었다.

한편, A 작가님의 경우에는 업무 강도가 센 편은 아니었다. 나 말고도 보조작가님이 한 분이 더 계셨고, 일일드라마를 집필하신 B 작가님과 달리 미니시리즈를 맡으셨기 때문에 집필 기간이 상대적으로 여유로웠다. 1년 정도 A 작가님을 모시면서 나는 평화로웠던 기억이 대부분이었다. 달리 말해서 다이나믹했던 B 작가님의 경우와 달리 업무 자체가 단조로웠다. 기획안 회의하고, 교정 교열하고, 대본 회의하고, 대본 구성안을 짜고, 교정 교열을 하고. 매번 업무가 반복되었다. 그러다 보니 내가 성장하고 있다는 느낌을 받기는 어려웠다. 하지만 계약이 종료되고, 〈리셋걸 오버도즈〉를 준비하면서 1년간의 경험이 그저 원형이 아닌 나선형이었다는 사실을 깨달았다. 작품 기획부터 참여했던 경험으로 인해 전체적인 작품 방향을 정리하는 일이 어렵게 느껴지지 않았다! 게다가 구성안의 퀄리티도 굉장히 높아지고, 교정 교열을 한 덕분에 어휘력 또한 많이 늘었음을 체감할 수 있었다. 인생은 2차원에서 그려지는 선형, 비선형 함수가 아닌 나선형으로 성장한다는 말이 딱 맞았다.

〈리셋걸 오버도즈〉 로그라인에서는 '기담낭설'이라는 말이 나온다. 기이한 이야기를 가리키는 기담(奇談)과 터무니없는 헛소문을 가리키는 낭설(浪說)을 합친 말이라 생각하겠지만, 사실 숨겨진 의미가 하나 있다. 낭설의 '낭'은 사실 낭만(浪漫)의 '낭'을 가리킨다. 즉, 기담낭설(奇談浪說)은 기이하고도 낭만적인 이야기를 의미한다.

죽음으로 시간을 되돌려 완벽한 삶을 살고 싶어 하는 윤하와 그런 윤하의 반복된 시간에서 이탈한 명의 로맨스는 기담낭설 그 자체다. 기이하고도 지독히 낭만적이다. 그래서 어떤 사람은 터무니없는 헛소리라고 여길 수도 있다. 그럼에도 불구하고, 나는 〈리셋걸 오버도즈〉 같은 기담낭설을 꾸준히 집필할 계획이다. 고졸 경리에서 드라마 작가로 인생 경로를 완전히 틀겠다고 결심하면서 서울로 상경을 준비할 때, 다들 응원하면서도 내가 뜬구름 잡는 건 아닐지 많이들 걱정했다. 하지만 나는 무사히 서울에 자리를 잡았고, 현재까지도 작가로서 살고 있다. 그러니 뜬구름 잡는 건 자신 있다. 그건 이제 내 주특기니까.

마무리하며

에세이를 집필하며 나는 놀라움을 감출 수 없었다. 작가와 작품은 별개의 존재라고 믿어왔는데, 집필하다 보니 작가와 작품은 유기적인 관계라는 사실을 두 눈으로 확인할 수 있었기 때문이었다. 그 시절의 쓴 작품은 그 시절의 나를 대변하고 있었다. 이래서 나의 글을 누군가에게 보여주는 게 참 무섭다. 다른 사람들에게 진실된 나를 들킬 것만 같다. 그것이 좋은 점이든 나쁜 점이든 말이다. 하지만 사실 알고 있다. 이 두려움을 이겨냈을 때 진정 작가가 될 수 있다는 사실을.

대한민국에서 '잘 나가는 드라마 작가'를 꿈꾸는 사람은 몇이나 될까. 작가 지망생이라면 묻지도 따지지도 않고 가입한다는 인터넷 카페 〈기승전결 작가그룹〉의 회원 수만 해도 11만 5천 명이다. 이 카페에 가입하지 않은 지망생들까지 고려해 본다면 적어도 12만 명은 되지 않을까?

성공한 드라마 작가를 꿈꾸는 사람은 이렇게 많은데, 실제로 대중들이 알고 있는 드라마 작가들은 다섯 손가락에 꼽힌다. 그만큼 작가로서 성공하는 일은 매우 어려운 일이다. 그 사실을 모르는 반푼이는 아마 흔치 않을 테다. 하지만 낭만을 꿈꾸는 사람들의 인생은 대개 '그럼에도 불구하고'라는 말로 요약되지 않는가. 나 또한 그렇다. 분명 작가로서 성공할 확률이 희박하다는 걸 잘 안다. 그렇지만, '그럼에도 불구하고' 작가라는 꿈을 꾼다. 더 나아가 꿈꾸기에서 그치지 않고, 꿈을 이루고 싶다.

그러나 낭만 결핍의 시대를 살아가다 보면, 이따금 나 또한 낭만이 실조되는 게 느껴진다. 그때마다 마음에 새기는 만화 대사가 있다. 만화 속 화자는 배구 선수이기에 '배구'를 주어로 말하지만, 나는 작가임으로 '글 쓰는 일'로 대체해 대사를 인용하며 이 글을 마무리 짓겠다.

위를 목표로 하는 이상, 힘겨운 일이 더 많다.
힘들지 않으면 노력하지 않은 것과 다름없다는 믿음도 있다.
하지만 그런 것과 상관없이 때때로 즐거움은 불쑥 찾아온다.
즐거움이 나를 끌어당긴다.
글 쓰는 일이 즐겁다는 것을 잊었다가, 또다시 떠올린다. [1]

---

1   후루다테 하루이치, 만화 <하이큐!!> 내용 중 일부 인용

나를 찾아서

성지예

성지예   치열하게 살아가는 대한민국의 보통청년. 이십대, 한창 꿈과 고민이 많을 시기를 보내고 있는 청년이기도 하다. 어중간한 나이의 어른이 된 후 닫혀있던 내면의 이야기를 조금씩 꺼내어 함께 나누고자 한다. 인생은 여행의 여정이다. 새로운 장소에서 다양한 타인과 연결 될 때, 나는 나를 찾아가며 삶은 더욱 단단해진다. 특별한 사람은 아니어도 '나'는 '나'에게 소속되어 '나'자신에게 심심한 위로를 전해주는 단단한 사람이 되기를 바라며 글을 쓰는 작가가 되었다.

instagram: @zl_yeah

무소속

첫 만남은 가면이다. 본래의 나를 숨기고 내가 보이고 싶은 모습으로 상대를 대하면 그 상대는 나를 그런 사람으로 본다. 어떠한 법이 있듯이 새로운 누군가를 마주할 때, 더욱 상냥한 태도로 대하는 것은 누구나 그럴 것이다. 나는 그렇게 가면 뒤에 숨기 바빴고 나 자신이 누구인지 잃어가고 있었다.

"휴가는 잘 다녀오셨어요?" 궁금하지 않지만 물어봐야 할 것만 같은 상사의 안부를 물으며 출근이 시작된다. 그의 일주일간 빈자리로 인하여 업무가 더욱 가중 되어 힘들었던 나인데 미소를 띠며 안부를 묻는 것도 나였다.

오늘은 무슨 메뉴가 나올까 기대하며 누군가는 점심시간이 기다려지겠지만 나는 그렇지 않다. 오히려 업무가 너무 가중 되어 점심을 거르고 싶은 지경이다. 나의 소원은 나만의 점심시간이 보장된 곳으로 이직하는 것이다. 하지만 현실은 달랐다. "점심시간만큼은 내 에너지를 소비하지 않았으면 좋겠어"라고 속으로만 외칠 뿐이다. 함께 식사 후 남은 30분이라는 휴게시간 동안, 공감 능력이 뛰어난 상담가로 변신해야만 했다. "나 어제 남편이랑 싸우고 우울해서 네일 바꿨어. 어때? 비싼 거야" 상담 시작이다. 네일의 '네' 자도 관심 없는 나였지만 한껏 호들갑을 떨며 이쁘다고 대답해 주며 공감 해주는 나였다. 그래서 난 호들갑이라는 행동이 주는 에너지 소비가 얼마나 클지 알기에 호들갑이라는 단어조차 싫어하게 되었다.

이러한 경험 다들 한 번씩 있을 것이다. " *내가 등산을 갔는데 말이야. 다들 힘들어하는데 나는 땀도 안 나더라고. 껄껄*" 재밌지도 않은 상사의 이야기를 들으며 거짓 미소를 띠는 나, 맛이 느껴지기는커녕 코로 들어가는지 입으로 잘 들어가고 있는지 모르겠는 회식 자리에서의 미소 유지. 나는 더 이상 쓸데없는 곳에 감정 소비를 하고 싶지 않았다. 그렇게 내 삶에서 점점 두꺼워진 가면의 무게는 나의 얼굴을 점점 조여왔다. 그 무게를 견디지 못한 나는 모든 것을 멈추고 나를 아무도 모르는 곳으로 데려다 놓고 싶었다. 그렇게 나는 혼자만의 무계획 여행을 시작했다.

°

취업 준비 기간 동안 간절히 입사하길 희망했던 현재 나의 직장, 일 년 치를 선불하여 저렴하게 등록한 헬스장, 자기 계발을 한답시고 성실하게 출석 도장을 찍던 영어 회화 학원에 다니지 않아도 나의 삶이 무너지지 않음을 확인하고 싶었다. 사직서를 제출하고 다음 날, 그동안 잃어버렸던 자유와 낭만을 찾고자 홀로 파리로 떠났다. 15시간의 긴 비행시간 동안 핸드폰을 하지 못하니 이렇게 힘들 수가 있을까. 그렇게 명상이라는 것을 좁디좁은 이코노미석에서 처음 시도하였다.

명상 속에서 비치는 내 나이 반오십, 올림픽에 출전하는 선수들은 전성기라고 불리는 나이다. 그만큼 에너지 넘치고 활기 있는 시절에 도달해 있는 나는 그동안 크게 이룬 성과도, 그렇다고 크게 불행하지도 않은 환경에서 극도로 평범하게 살아온 사람이다. 남들 다 하는 것들을 쫓으며 인생을 살고자 노력하는 혹은 노력하는 척하는 수많은 청년 중 하나였음을.

또한 난 어중간한 사람이다. 백 세 인생 속에서 1/4을 살아온 사람이기도 하다. 그동안 행운이 깃든 적도, 그렇다고 행운이 전혀 따라오지 않는 사람도 아니었다. 어중간이란 단어는 여러 가지 요소를 내포한다. 마치 누가 정해 둔 것처럼, 유치원서부터 시작 한 작은 사회는 초, 중, 고 문제 없이 졸업까지 이어지며 대학과 인턴까지 연장선으로 이어지게 되었다. 여기까지가 정해둔 사회인 줄 알고 살아왔다.

졸업과 동시에 취업, 서른쯤엔 서울에 자가 신혼집을 마련할 수 있는 건실한 직업을 가진 사람들끼리의 결혼, SNS에 포스팅하기에 완벽한 신혼여행, 건강한 아기와 육아를 통한 부모의 삶, 탄탄대로를 걷는 자식과 노후 준비가 완벽한 노년기 속에서 해외여행을 즐기며 여유로운 삶과 고통 없는 죽음. 이것이 사회에서 가장 평범하다고 칭해지는 보편적인 삶이 아닐까? 그런데 이 같은 인생 매뉴얼을 따라가야만 성공한 삶일까? 아니다. 난 그동안 누구나 이러한 루틴을 따라가겠거니 하는 생각에 잠겨 있었을 뿐이다. 공모전 수상, 자격증 취득, 취미 발견, 체중감량 등 소소하게 이루어 나간 일생의 작은 성공과 행복을 느낄 여유조차 없었다.

인생의 매뉴얼을 찾고자 방황하는 내가 퇴직금을 들고 프랑스로 입국하는 순간부터 온전한 휴식기를 가지게 된다. 1분 1초 단위로 바쁘게 살아가는 한국 사회를 잠시 떠나 휴식 속에서 홀로 여행을 떠나며 인생 매뉴얼을 써나가고자 한 것이다. 하루하루 바쁘게 지내와야만 인생의 가치를 느끼던 내게 퇴사 후 처음으로 느껴보는 24시간 해방된 자유로움이 생겼다. 하지만 매뉴얼 없는 자유로운 시간 속에서 이상한 불안감이 생겼다. 나와 같은 청년들이 사회와 공동체 속에서 잠시 벗어나 처음 느끼는 무소속은 어떨까?

그렇게 아무도 나를 찾지 않는 날이 생겼다. 퇴근 후에도 울려대는 메일함, 그리고 회식에 잠을 잘 시간조차 아껴 살아가던 내게 처음으로 고요한 핸드폰이 생겼다. 새벽 5시에 기상하여 출근 준비를 하며 "갓생"을 외치던 청춘은 이제 해가 중천에 뜰 때 기상하여도 아무도 신경 쓰지 않는 신입 백수가 되었다. 이제 나에게는 무얼 해야 할지 아무도 길을 내어주지 않았다. 사회의 매뉴얼대로 살아온 나에게는 이제 아무런 지시 사항이 없다. 그래서 떠났다. 막연하게 아무 연고도 없는 낭만의 도시 파리에 계획 없이 나 홀로 던져놨다. 성취중독일까? 이제 직장에서의 성취가 없으니, 여행에서 새로운 경험을 통한 성취를 쌓기 위해 무작정 떠난 것이다.

프랑스 속 어느 해변을 가더라도 한국인을 찾아보기는 정말 쉽다. 남녀 불문 래시가드로 꽁꽁 덮은 사람이 바로 한국인이다. 반대로 나이 불문 주름이 깊게 들어간 피부와 S자 몸매와는 멀어 보이는 친숙한 바디라인, 선크림조차 바르지 않고 비키니 혹은 상의 탈의를 한 사람이 바로 현지인이다. 아랑곳하지 않고 당당하게 본인의 취향대로 수영복을 입고 있는 모습은 파격적이지만 한편으로는 부러운 문화다. 이러한 개방적인 문화 속에서 살아가면 얼마나 좋을까 하며 해외 취업을 생각해 보곤 했다. 온 몸을 덮은 래시가드 때문일까 나 홀로 해변에 온 것이 눈에 띄었는지 현지인 부부가 파도 소리를 들으며 해변을 바라보고 있는 내 사진을 찍어주었다. 그 사진 속의 내 표정은 누가 봐도 "행복" 그 자체였다. 동행인은 없으나 여기저기 나를 찍어주겠다는 현지인들 속에서 100장이 넘는 사진을 얻었고 사진을 찍어달라는 부탁을 거절당할까 봐 어쩌지 하며 챙겨갔던 셀카봉은 꺼낼 필요조차 없었다.

패션과 미식, 예술과 낭만이 있는 세계 문화의 중심지 파리에서 매일 아침 기대감에 부풀어 저절로 새벽 5시에 기상하였다. 내가 여행하고 있다는 것을 알리고 싶어서일까 〈걸어서 세계 속으로〉라는 프로그램에서만 보던 프랑스 파리의 과거와 현재를 상징하는 에펠탑을 찍어서 SNS에 올렸다. 사진을 게시한 후 얼마 지나지 않아 *"누구랑 갔어? 왜 갔어? 휴가받았어?"* 면접관이 나에게 물을 법한 질문들로 메시지창이 가득 찼다. 질문에 대한 그럴싸한 대답을 하고 싶은 부담감과 압박에 메세지창을 끄고 나만의 여행을 즐기기로 하였다. 언제나 내 인생에서의 하이라이트, 예를 들면 여행과 멋진 장소를 올리곤 했던 내가 SNS 창을 끄고 나만의 여행을 즐기긴 처음이다.

파리 여행은 에펠탑으로 시작해서 에펠탑으로 끝난다는데 꼭대기까지 한번 올라가 봐야 하지 않겠는가. 한 시간을 소요하는 기나긴 줄을 기다리며 꼭대기까지 올라가 보았다. 에펠탑 내의 엘리베이터를 타고 몇 분간 올라가 보니 다양한 사람들이 한눈에 보였다. 왜 낭만의 도시라고 하는지 전부 이해가 가는 모습이었다. 평일 오전이었으나 아이러니하게도 서둘러 출근하는 모습은 보이지 않았다. 출근하기 위한 직장인으로 꽉 찬 지옥 같은 지하철과 빌딩 숲에서 현실을 치열하게 살아가는 서울에서 평생을 살다 온 내겐 충격적으로 다가왔다. 에펠탑 아래에서 피크닉 하며 이상 속에 사는 파리 사람들처럼 이곳에서 산다면 일은 안 하고 굶더라도 매일 사랑과 평화 속에서 살 수 있을 것만 같았다.

〈에펠탑 위에서 내려다본 파리의 여유로운 분위기〉

다크서클이 내리 앉아 있는 불면증을 가진 사람이라고는 이야기하기 창피할 정도로 그저 여행 속에서 나는 잘 놀고 잘 자고 그 시간을 알차게 즐겼다. 그 시간을 너무 즐겨서일까, 한국에 귀국하는 기나긴 비행 속에서 걱정과 불안으로 다시 잠에 들지 못하였다. 뜬눈으로 15시간을 비행하며 이제 나는 무얼 해야 할지, 새로운 여행을 또 가야만 이 이러한 불안이 사라질지 하는 여러 가지 생각 속에 파묻혀 버렸고 점점 깊은 걱정 속으로 빠져들었다. 그렇게 여행을 다녀온 뒤 새로운 일자리와 새로운 도파민을 찾고자 최저가 항공권을 찾아보느라 한 달을 소비하였다. *"다신 이 직종으로 이직하지 않겠어."*라고 다짐하고 상상 속에 멋지게 퇴장하던 나는 이제 없다. *"같은 직종이면 뭐 어때. 안정적이고 페이 많은 곳으로"* 강박증세처럼 매일매일 이직할 만한 곳을 찾고 있다.

잠들기 직전엔 매일 항공권을 찾기 일쑤였다. 딱히 가고 싶은 곳도 출국하고 싶은 날짜도 고려하지 않은 채 *"어디든, 언제든"* 목적 없이 항공권을 찾고는 했다. 목적이 없는 내 삶처럼 목적이 없는 여행을 찾을 뿐이었다. 퇴사 후 해방감에 젖어, 한껏 기쁨을 뽐내느라 바빴기에 소속감이 없다는 것이 나를 두려움에 가두게 할 줄은 몰랐다.

사실 어디든 떠나고 싶었던 내 마음은 외부에 소속이 없는 것에 대하여 너무 두려워 여행이라도 하고자 했던 것이 아닐까. 시간이 지나면 지날수록 지난 나날들이 미화되어 전 직장이 그립기도 하였다. 소속이 없으니 이제 나를 인정해 주고 칭찬해 줄 사람이 곁에 없다. 소속도 없고 나이만 들고 있는 나를 비춰보면 보잘것없는 사람이 된 것 같은 기분이다. 하나둘씩 결혼을 하고 멋진 곳으로 여행하는 등 SNS 속 비치는 친구들의 희소식을 축하해 줄 힘조차 없어졌다. SNS를 지우고 나니, 나는 그저 누워서 유튜브나 보며 팝콘을 먹고 있다. 유튜브 채널 알고리즘에 〈새로운 라이프 스타일을 추구한다면 우선 정리부터 시작해라〉라는 제목의 영상이 뜬 적이 있다. 과연 그럴까? 정리가 인생을 바꿀까? 하는 궁금증에 영상을 보고 창고 정리를 시작해 보자 하는 마음이 생겼다.

나는 그렇게 살면서 처음으로 SNS를 지우고 그동안 미뤄왔던 일들을 시작하였다. 바쁘단 핑계로 단 한 번도 정리된 적 없었던 창고의 옷장을 열어보았다. 열자마자 쏟아져 나오는 옷은 마치 나의 마음 상태처럼 언제 다 정리할지 싶더라. 나홀간의 제주 여행을 갈 적에도 사람 몸뚱이만 한 큰 캐리어와 함께하는 맥시멀리즘의 삶을 살던 내겐 마음의 짐도 한가득 있었던 것일까. 창고 속 뒤죽박죽 섞여 있는 입지 않는 옷들을 몇 뭉텅이씩 버리면서 떨어져 나가는 옷의 무게만큼 나의 걱정 무게도 점점 가벼워졌다. 유튜브의 순기능이 처음으로 내 삶에 적용되었다.

다들 열심히 출근하는 배경 사이로 여유롭게 운동하는 내가 눈에 훤히 보이 던 날. 원인 모를 불안감이 극도로 심해져 숨이 잘 쉬어지지 않은 날이었다. 도무지 돌아오지 않는 숨쉬기 패턴에 무서워질 때쯤 건강한 공기로 숨을 내쉬기 위하여 헬스장 밖으로 뛰쳐나갔다. 그렇게 목적지 없는 산책 도중 발견한 도서관에 들어갔다. 나도 모르게 집어

들었던 불안장애에서 벗어나는 법에 관한 도서 한 권을 대출하고 나니 팬스레 편안해진 느낌이 들곤 했다. 저자이자 정신과 교수가 말하기를 *"불안은 억눌러야 하거나 없애야 하는 정서가 아니라 적극적으로 수용해서 잘 길들여야 하는 감정이다."* 또한 우리의 삶 속에서 정리되지 않은 부분을 가지런히 하고, 미니멀리즘의 삶을 통한 편안한 일상 보내기를 함에 있어서 개선되는 불안 극복을 느껴보라 전해주었다.

남들 보기에 대단한 일은 아니지만, 스스로 의미 있는 일을 해나가고 싶었다. 쓰지 않는 물건들과 입지 않는 옷가지들을 버리면 좀 어떠한가. 프랑스 바닷가의 사람들처럼 남들 시선 따위 신경 쓰지 않고 내가 입고 싶은 수영복을 입고 내 페이스대로 살아가면 어떠한가. 비행기 옆자리의 한 인도 소녀처럼 15시간 동안 잠만 자면 뭐 어떠한가. 아무도 신경 쓰지 않을 것이다. 아무도 뭐라 하지 않는다. 1년 후의 모습, 5년 후의 모습을 성공적으로 비춰내기 위하여, 남들 보기에 멋진 곳에서 일하며 대단한 사람인 것처럼 보이기 위하여, 가까운 미래에 갇혀 쉼 없이 달려 나가던 나였다. 그렇지만 생각보다 삶은 길고, 긴 삶 속에서의 휴식 또한 필수적임을. 난 이제 무소속의 두려움보다는 나는 내 페이스에 맞추어 가며 나는 나에게 소속되어 살아가고 있는 사람이 되고자 하는 신입 백수들에게 이 이야기를 전해주고 싶다.

그 시절의 인연

"*안녕하세요*" 우리는 서로 간의 안녕을 물으며 소통을 시작한다. 이렇게 시작된 우리의 인간관계는 행복과 안녕에 큰 영향을 미친다. 오늘도 어김없이 함께 엘리베이터에 탄 낯선 이웃과 안녕을 물으며 신선한 하루를 시작한다.

○

가을바람이 부는 이맘때쯤이면 근처의 북한산을 등산하곤 한다. 북한산 국립공원 비봉 코스를 따라 올라가다 보면 금선사의 일주문을 만나게 된다. 무교이지만 나처럼 등산 도중 발견하는 절들을 지나치지 않고 잠깐 머물러 간 적이 있을 것이다. 청와대와 경복궁이 내려다보이는 이곳 금선사는 무교인 나조차 발걸음을 멈추게 한다. 언제나 그랬듯이 올가을에도 난 이곳에서 잠깐의 휴식과 재충전을 하고 오는 길이다. 머릿속이 복잡하여 잠을 잘 못 이루는 날이 있지 않은가? 바로 오늘이 나에게 그런 날이다. 온전한 휴식을 취해보고자 바로 이곳에서 진행하는 템플스테이를 신청해 보았다. 이틀 간 이곳에서 머무르며 다양한 명상법을 통해 마음의 평온을 가져보기 위함이다. 그러나 명상 속에서조차 머릿속을 떠다니며 나를 괴롭히던 〈인간관계〉에 대하며 생각을 정리하고자 명상에 잠겨 이에 대하여 고찰해보았다.

인간관계 속에는 시절 인연이란 말이 있다. 모든 사물의 현상은 시기가 되어야 일어난다는 말을 가리킨다. 일정한 시기가 되면 만나게 되는 인연, 굳이 애쓰지 않아도 만나야 할 인연은 알아서 만나게 되고

애를 써도 만나지 못할 인연은 만나지 못한다는 것. 사람이나 상황이나 물체와의 만남, 유형이든 무형이든 일체 모든 만남에는 다 때가 있다고 한다.

나에게 시절 인연은 과거의 어떤 시기에 만난 사람과의 인연을 의미한다. 과거에 함께 시간을 보낸 사람들과의 관계나 만남을 회상하거나 어떤 추억을 나눌 때 떠오르는 단어이다. 나의 생활에 지쳐 나를 아무도 모르는 곳으로 최대한 멀리 떠나버린 때가 있다.

이탈리아에 나 홀로 내버려 둔 며칠간, 생각지도 못한 다양한 사람들과 소통하며 함께 여행을 즐겼다. 짧은 10일간의 여정 동안 그들과 서로의 고민을 진실하게 토로하고 새로운 액티비티를 함께 즐기며 내 인생 최고의 10일을 보냈다. 본래 가까이 지내던 가족, 친구, 연인 보다 부담이 없어서일까, 더욱 진실하게 서로 소통하며 오히려 아무 연고가 없는 장소에서 새로운 만남을 통해 더욱 진솔한 소통을 하며 인연을 쌓았다. 나의 친구에 대한 고민, 나의 미래에 대한 불안감, 나의 인생 스토리를 편히 이야기할 수 있는 상대는 오히려 낯선 상대일 수 있음을. 공항에서 *"잘 가. 파이팅"* 라고 마지막 외침을 하며 그렇게 우리의 추억과 고민에 대한 이야기는 이탈리아에 묻어둔 채 멀리서 각자 서로의 길을 응원하고 있다.

학창 시절에 찍은 졸업사진을 꺼내 본 적이 있을 것이다. 지금은 앨범 속 사진으로만 만나볼 수 있는 그들이지만 한때는 내게도 소중했던 시절 인연들이 참 많이도 있었구나 하는 생각에 잠겨보기도 하였다. 같은 반이기만 하면, 같은 나이이기만 하면 모두가 친구가 되는 순수한 그 시절이 가끔은 그립기도 하다. 그러나 흘러간 인연들은 잊히도록 내버려 두는 것이 지나간 시절 인연들을 아름답게 간직하는 일일 것이다.

이렇듯, "시절 인연"은 그 시기에 서로에게 큰 의미가 있었던 사람들과의 연결을 강조하며, 그러한 인연이 시간이 흘러도 여전히 소중하다는 메시지를 담고 있다. 지난 나날들을 돌이켜보면 나에게 있어서 좋은 인연이란, 나와 가장 가까이했던 인연이 아님을 알 수 있다. 학창 시절부터 십 년이 넘는 세월 동안 다져온 우리의 함께했던 세월이 단 1박의 여행을 통하여 서로 간의 여행 스타일이 맞지 않음을 느끼고 끝난 경우가 있었다. *"나 조금만 더 자고 일어날게."* 라고 이야기하는 상대방과 *"여행하러 와서 잠만 자는 사람이 어디 있어."* 하고 대답하는 나. 10년이 넘는 시간 동안 우리는 서로 다른 라이프스타일을 가지고 있다는 것을 여행을 통하여 처음 알게 되었다. 오히려 여행 중 만난 현지인, 어제 우연히 운동할 때 만난 새로운 타인이 인연이 될 수도 있다는 것을 느낀다. 우리는 그저 오래된 인연에 대해 안정감을 느끼고 편안함을 느끼기에 그 오래된 인연에 너무 매여 있는 것은 아닐까.

오랜 인연이 너무 편안한 나머지 오히려 정말 사소한 것으로 틀어질 수도 있고, 서로에 대한 배려를 잊은 채 선을 넘어버릴 수도 있는 것이다. 그렇게 내 삶에서 가장 오래된 인연과 헤어질 수 도 있는 것이고, 한때가 되면 우리는 *"안녕"*이라 말하며 떠나거나 떠나보낼 수 있어야 한다. 과거의 인연을 회상하며 그리워할 시간에 새로운 인연을 맺는 것이 더욱 의미 있다는 것을 느끼는 요즘이다.

나는 정답을 알고 있다

유일한

유일한　글 쓰기 좋아하는 사람입니다.

잘 하는 건 모르겠으나 자신 있습니다.

저랑 같이 걸어가실래요?

email: ilhan803@naver.com

이렇게 살 다가 지구가 멸망해도 억울하지 않다. 나는 자취방에서 모든 걸 해결하고 있다. 정확한 날짜는 모르겠고 일 년 넘었다는 사실만 알고 있다. 방에만 있으니 시간개념이 사라져버렸다. 그런 나에게도 나 같은 사람도 마트, 편의점, 백화점을 안 가도 문제를 해결할 수 있다. 그렇다. 나는 스마트폰만 있으면 무서울 게 없다. 단, 자취방에만 있어야 한다.

내 이름은 유일한. 스물 여덟 살이나 먹은 남자다. 사회생활을 시작해야 할 나이다. 하지만 집 밖에 나가기 무섭다. 과거 트라우마가 나를 괴롭힌다.

사건은 십 팔 년 전으로 돌아간다. 초등학교 3학년. 이유 모를 이유로 집단 괴롭힘을 당했다. 그게 트라우마의 시발점이다. 그때부터 중 3까지. 즉, 육 년간 괴롭힘을 당해왔다. 초등학교, 중학교 나를 괴롭히는 집단은 달랐지만 이유 모를 이유로 나를 괴롭혀왔다. 그런데 그게 내가 자취방에서 안 나가는 이유가 될까? 된다. 트라우마가 실패의 원인이기 때문이다.

사랑, 우정, 취업 다 트라우마 때문에 실패했다. 좋아하는 이성과 즐거운 시간을 보내도, 친구들과 놀아도, 면접을 봐도. 성공하지 못한 게 모두 과거 트라우마라고 생각한다. 그게 내가 내린 결론이다. 고등학교, 대학교에서 괴롭힘을 안 당해도 뭐 하나 제대로 이룬 게 하나도 없다. 고심 끝에 대학 졸업 후 부모님께 돈을 빌려 자취방 계약을 연장했다. 트라우마에서 벗어나 완벽해지기 위해.

이건 일종의 자숙 생활과 비슷하다. 범죄를 저질렀거나 사회의 물의를 일으키지는 않았지만, 사회와 동화되기 위해 내 나름대로 훈련을 했다. 진정 내 능력을 십 분 발휘할 수 있는 능력이 무엇인지, 사회생활과 인간관계에 대해서 어떻게 접근하고 대비하여 대처할지, 궁극적으로 내가 누구인지 성찰하고 탐구했다. 그러다 보니 글을 좋아하는 걸 발견해 소설 공모전을 준비했다. 한 달이면 될 줄 알았으나, 하면 할수록 완벽하게 나가고 싶은 욕심이 생겼다. 그러다 보니 사회와 멀어지고, 인간관계도 무너졌다, 가족도 대놓고 표현은 안 하지만 실망한 기색이 보였다. 아빠의 전화 너머 들리는 엄마의 한숨은 아직도 또렷하다. 그때 이후로 모든 연락은 문자로만 한다. 그때가 여섯 달이 되는 날. 내가 마지막으로 날짜를 인식하던 날이었다.

일 년이 넘어간 지금. 문자도 안 온다. 알림으로만 생사를 확인할 뿐이다. 심지어 소설도 안 쓰고 있다. 완성을 했지만 제출하기 두려워 묵혀 두고 있다. 완벽하지 못한 작품을 내는 내 자신이 용납이 안 된다.

그럼 유일한의 하루일과를 보여주겠다. 먼저 씻지도 않고 청소도 안 하는 인물이 생각났다면 심심한 사과의 말을 전한다. 나는 하루에

한 번씩 무조건 씻고, 청소도 일주일에 한 번씩 꼭 한다. 꾸준히 청소를 하지 않아도 환기는 잊지 않는다. 음식물쓰레기, 분리수거는 돈 주고 심부름 맡긴다. 맨날 같은 사람에게 요청하지만 얼굴을 한번을 본적이 없다. 내 얼굴을 보여주기 싫다.

아무튼 환기를 하면 묘하게 기분이 좋아진다. 들어오는 공기를 맡으며 멍 때린다. 때론 차갑지만 어쩔 때는 포근해서 두뇌가 돌아가는 느낌을 받는다. 거기다 햇빛이 들어오면 그게 외출이나 다름없다. 이런 식으로 나는 간접적으로 외출을 한다. 그런데 창문을 열었는데 미세먼지가 느껴진다면 기분이 확 나빠져서 바로 창문을 닫는다. 편도가 커서 기가 막히게 파악한다. 비록 방에 틀어박혀 살고 있지만 성공만 하면 얽매었던 모든 걸 해결할 수 있다. 이렇게 스스로 희망고문에 취한다.

어느덧 시간은 오전 열 한시 삼십 분. 알람 안 맞춘 지 오래 됐지만 기상시간은 거의 비슷하다. 슬슬 점심 식사할 때가 됐다. 의도하지는 않았지만 나름 규칙적인 생활을 한다. 끼니를 대충 때우더라도 하루에 두 끼는 무조건 챙겨 먹는다. 주로 엄마가 만든 국거리와 반찬들 그리고 인스턴트와 배달음식, 컵라면으로 끼니를 해결한다. 그래도 과식은 하지 않는다. 운동은 숨 쉬고 팔 다리 움직이는 게 전부다. 키 178cm, 몸무게는 64kg이라 나름 비율 좋고 균형 있는 몸매이다. 남들이 보기에 비실비실 거리는 것 같아 보이지만, 사는 데 지장 없다.

나는 밥을 먹기 위해 몸을 움직였다. 대충 이불과 베개, 안대를 정리했다. 내 살고 있는 자취방은 원룸이다. 그래서 침대에 일어나면 방 구조가 훤히 보인다. 정면에 텔레비전, 좌측에 베란다와 현관문, 우측에는 주방과 화장실이 있다. 얼마 안 걸어도 되어서 좋다. 부엌 곳곳에 부모님의 행적이 느껴진다. 냉장고를 열면 엄마가 준 반찬들이 널려 있고, 싱크대 옆에는 아빠가 준 용돈이 보인다. 이렇게 되기 전에 아르바이트, 대외활동, 멘토링 등 건설적인 활동을 해서 나름의 수입이 있었다. 믿기지 않겠지만 사실이다. 허나 지금은 부모님이 내 빈곤한 의식주를 보태 준다. 아무튼 나는 식사할 준비를 마쳤다. 반찬은 간단히 김, 계란, 된장찌개, 흰쌀밥이다. 어쩔 때 보면 식사는 본능이 아닌 의무 같다고 느낄 때가 있다. 배고프긴 배고픈데 먹어야 돼서 먹는 그런 느낌이다. 아무튼 어떻게 또 점심을 해결했다. 먹을 때 특별한 게 없다. 그냥 먹는 거다.

밥 먹은 지 삼십분도 안 됐는데 하품이 쏟아진다. 충분히 잤지만 또다시 나는 이부자리로 들어갔다. 나는 안대를 쓰고 잠을 청했다. 얼마 뒤 눈 떠 보니 불쾌한 광경이 펼쳐졌다.

삼 학년 팔 반, 교실 오른쪽 구석. 나는 양 다리를 가슴에 올린 채 앉아있었다. 휴식을 위한 자세가 아닌 방어를 위한 자세다. 나는 맞고 있다. 십 팔 년 전, 나를 괴롭혔던 무리들이다. 시간을 보니 종례 후 청소 시간. 똑같다. 한 명이 지속적으로 나를 때리고 두 명은 망을 보고, 나머지는 방관하거나 모른 척 청소하는 연기하고 있다. 다시 한번 꿈에서 재연되니 언짢다. 발전 없이 방 안에서 백수 생활하는 현재 내 모습과 닮았다. 저항 안하고 마땅히 괴롭힘 당하는 내 모습이 덩치와 시간만 달라졌을 뿐, 변한 게 없다. 그런 내 모습을 인정하는 내가 싫고 날 괴롭혔던 그 무리도 싫다. 아무 말도 못하고 있는 열 살. 한심하다.

갑자기 꿈에서 나오는 장면들은 사라지고 내 눈 앞에 아무것도 안 보인다.

"뭐야?"

나는 당황하였다. 얼마 지나지 않아 사람처럼 보이는 형체가 내 눈 앞에 보이기 시작했다. 열 걸음정도 걸으면 닿을 거리에 나타났지만 이목구비와 차림새가 흐릿하여 성별과 차림새를 파악할 수 없었다.

"누구세요?"

대답이 없다.

"제 말 안 들리세요?"

네가 그러니까 당하고 사는 거야.

대답이 없다가 툭 기분 나쁜 말을 들었다. 목소리가 들렸지만 중성적인 목소리라 성별을 파악하기 힘들다.

언제까지 그럴 거야?

"아직도 이유를 모르겠어?"

나는 화를 냈다.

"아니, 당신 정체가 뭐야?"

나는 꿈인 걸 알면서도 기분이 나빴다. 괜한 자격지심이 나온 거 같아 얼른 잠에서 깨고 싶은 마음이 들었다. 맞는 말이지만 나는 받아들이기 힘들었다.

불연 듯 나는 내 상황에 대해 의심을 했다.

"이상해"

"꿈에서도 이게 뭐하는 짓이야!"

"잠깐만. 이거 내가 소설 속에 들어온 거 아니야?"

유쾌한 척하며 넘겨보려 해봤지만 불편한 기분이 계속해서 남아있다. 그 순간, 내 눈 앞이 깜깜해졌다. 꿈이지만 어둠 속에 있다는 사실에 나는 두려웠다.

그 순간 어둠 속에서 밝게 빛나는 형체가 보이기 시작했다. 그리고 하늘에서 빛이 펼쳐지기 시작했다. 점점 넓어져 나를 제외한 모든 공간이 새하얘졌다. 내 목소리가 들리기 시작했다.

자책, 후회, 미련 같은 부정적인 어조와 단어들이 들려오기 시작했다.

"또 차였네. 조금만 더 적극적으로 했어야 했나"

"괜히 쓸데없는 말 해서 친구 잃었네"

"'이번에도 떨어졌는데 엄마, 아빠한테 뭐라고 말하지? 기대 많이 했는데…"

그러다가 내가 듣고 싶던 목소리가 들리기 시작했다. 여러 감정과 장면들이 내 눈 앞에 펼쳐지기 시작했다. 내가 태어나는 장면, 고백에 성공하는 장면, 가족들이 기뻐하시는 장면, 친구들과 즐겁게 노는 장면, 원하던 목표에 성공하는 장면. 정반대 장면들이 연출되고 있다.

"이런 기억도 있었구나"

밝게 빛 나던 공간 속에서 한 인물이 나타났다. 정체 모를 인물로 추정된다. 그리고 점점 윤곽이 나타나기 시작했다. 보이면 보일수록 익숙한 형체였다.

"나야?"

나는 당황해서 어떻게 반응할 지 멍 때리던 찰 나 또 다른 유일한이 말했다.

너 정말 지구멸망해도 안 억울해?

"응?"

그 말 진심으로 하는 말이야?

이어서 또 다른 내가 이어서 말했다.

그래. 다 죽으면 모든 게 끝나겠지. 고민도 안 해도 되고. 아픔, 스트레스 안 겪어도 되고 얼마나 편해. 하지만 일한아. 네가 정말 삶의 의지가 없었다면 씻고 청소하고 밥을 꼬박 챙겨 먹었을까?

"어떻게 사람이 안 씻고 안 먹을 수 있어!"

나는 반박했지만 반박의 반박을 당했다."

맞지. 어떻게 보면 기본적인 예의이지. 그런데 너는 숙제 같은 일을 왜 하는 거야? 네 말대로면 안 하는 게 편한 거 아니야? 굳이 힘들게 하는 이유가 뭐라고 생각해?

"……"

나는 대답을 못하고 있었다.

이어서 내 무의식이 말했다.

솔직히 내가 이런 말 입장은 아니야. 나나 너나 별 다른 게 없어. 같이 집에 있으면서 나도 생각해봤는데 고통이 있어야 오히려 살아있음을 느낀다고 생각해. 거기서 살아남으면 보람을 느끼고. 인정하기 힘들겠지만 인정하면 다른 게 보일거야.

맞다. 살고 싶었다. 죽은 듯 살았지만 빠져나가고 싶었다. 그동안의 인생을 살펴보면 나는 실패만 하지 않았다. 그렇다고 성공만 하지 않았다. 매일 씻고, 밥 차려 먹는 게 증거 다. 용기가 부족했다. 오히려 나를 응원해준 사람들을 되려 의심만 했다. 내 자신이 싫다는 이유로 도움의 손길을 스스로 걷어차고 있었다. 그래서 아르바이트, 면접, 친구들로부터 다 도망갔다. 실패만 바라보니 과정보단 결과에만 집착하기 시작했다. 인생 어차피 태어나자마자 유기한 사형선고를 받는다. 모두가 죄수다. 죄를 안 짓고 살아갈 수 없다. 이제 나는 뻔뻔하게 살겠다. 당당히 살자. 다만 탈옥은 하지 않겠다.

현실이든 꿈이든 어찌됐든 나다. 성공하든, 실패하든 그 또한 나다. 결과가 있기에 내가 존재하는 게 아닌 과정이 있기에 내가 존재하는 것이다. 그 순간 아까 들렸던 음성들이 들려오고 좋았던 순간, 아쉬웠던 순간, 힘들었던 순간, 찰나의 순간들이 마구 생경하게 펼쳐지고 있다. 하지만 지금 이 순간만큼은 자유로운 영혼이다. 이제야 내 시간이 과거가 아닌 지금 이 순간 흐르고 있다

나는 무의식의 나와 포옹을 했다. 민망한 느낌보다 내 영혼과 소통하는 느낌이었다.

눈 떠보니 다시 현실 세계로 돌아오게 됐다.

이번에는 기분이 좋다 못해 오열을 했다. 그 아름다운 꿈속에서 돈 주고 못 사는 걸 얻었다. 눈물이 멈추지 않는다. 일 년간의 고민이 하루만의 해결이 됐다. 뺨을 세게 쳤다. 아프다. 고통이 느껴진다. 역시 나는 살아있다. 고통이 있어야 인생이다. 이렇게 쉬운 고민을 나 혼자

짊어지고 있었구나. 충분히 조력자들이 옆에 있는데 애써 무시했구나. 지금이라도 늦지 않았다. 나는 스물여덟 살이다. 지금 이 순간 만큼 즐기고 싶다. 아니, 지속되지 않아도 상관없다. 모두가 고통스럽게 살고 있다. 그럴 때마다 서로의 고통을 향유하고 때로는 쾌락을 잠시 즐기면 된다.

이제 묵혀 있던 소설을 꺼내 세상 밖으로 꺼내자.

어쨌든, 공황과 함께
살아가고 있습니다.

묘리

묘리

안녕하세요, 인생의 1/3을 공황과 함께 살아온, 5년 차 직장인 입니다.

책을 좋아하던 학창시절 우연히 읽게 된 오쿠다히데오의 소설을 읽고 나도 누군가에게 이렇게 위안을 주는 책을 쓰고 싶다는 로망을 품게 되었습니다.

부족하고 부끄러운 글이지만, 제 이야기를 풀어내는 것으로 조금씩 로망을 실현해보려 합니다.

잘 부탁드립니다.

이 지긋지긋한 동행의 시작을 찾아서

"그렇게 말씀하시면 속이 좀 시원하세요...?" 한참을 생각하다 내가 꺼낸 말에 상담 선생님은 "앞으로 무례한 말을 들으면 그렇게 말 할 수 있겠어요?"라고 물었다. 그래보겠다곤 했지만 자신은 없었다.

나는 유독 해야 할 말을 해야 할 때 잘 못 했다. 어릴 때 친구들 무리에서도 그랬고, 성인이 된 이후에도 학교생활, 동아리, 아르바이트, 회사 생활, 심지어 연애를 할 때도 그랬다. 대학 졸업 전 인턴으로 잠깐 있었던 회사에선 팀의 한 부장님이 내게 "야, 너 친구 없지?"라는 말을 한 적이 있었다. 그는 내게 다른 애들에 비하면 묘하게 그늘이 느껴진다며 '전형적으로 반에서 혼자 노는 애들' 느낌이 난다고 말했다. 그걸 어른스러운 대처랍시고 나는 "제가 인간관계 폭이 좁은 편이에요."라며 웃어넘겼다.

언젠가 직장에서 들었던 "OO 씨는 사람들하고 마찰이 없어"라는 말이 내겐 찬사에 가까운 말로 들릴 때가 있었다. 누군가와 갈등을 빚지 않는 '착한 사람'이라는 말처럼 느껴져서 좋았다. 누군가가 나를 떠올릴 때면 불편하고 불쾌한 감정이 떠오르는 게 아닌, 편안하고 유쾌한 이미지만이 남아있길 바랐다. 심지어 그 상대가 나를 불쾌하게 한 사람일지라도. 그런 말과 행동을 당하더라도 대수롭지 않아 하는 말과 행동으로, 어른스럽게 그 상황을 견디는 사람으로 비치길 바랐다. 그런 것들이 맘속에 차곡차곡 모여 병이 되고 있다는 건 꿈에도 모르고.

사실 나의 공황증세는 성인이 되고 시작된 게 아녔다. 내가 공황의 전문가는 아니지만, 주로 공황을 겪는 사람들의 이야기를 보면 대개 어릴 때의 경험이나 사회초년생 때의 경험들이 쌓여 성인이 되고 증상으로 발현되는 경우가 많은데, 나는 유독 어린 나이인 초등학교 3~4학년 즈음부터 불안증세를 종종 느꼈다.

가난과 부모님을 탓하고 싶진 않지만, 초등학교에 들어가기 전 IMF가 터졌다. 지금 3n살을 지나는 사람이라면 모두가 공감할 테지만 그 때 한 집 걸러 한 집은 금전적인 어려움을 겪는 경우가 흔하게 있을 때였다. 우리 집 역시 그 여파를 직격으로 맞았다. 넉넉하진 않지만 그래도 꽤 여유롭고 화목하게 지내던 우리 집은 한 순간에 방 두 개의 지하 집으로 이사를 해야 했다. 그마저도 작은 방은 누군가 잘 수 있을 정도의 크기는 아니어서, 엄마는 그 곳에 작은 미싱기를 하나 두고 부업 삼아 봉제 일을 하기 시작했다. 집은 종종 천장 위로 길고양이나 쥐가 지나다니는 소리가 들렸고, 곰팡이가 자주 피어 수십번이고 도배지를 덧발라야 했다. 지하 방이라 창문이 있어도 햇살이 잘 들어오지 않는 것은 물론이고 창문을 열어두면 종종 길가를 지나다니는 사람들의 발에 치인 무언가가 방 안으로 들어오곤 했다. 보통 화장실이나 베란다에 넣어두는 세탁기를 들일 공간이 없어 거실에 세탁기를 두고 돌려야 했고, 그마저도 낡은 세탁기 호스가 터져버리는 바람에 온종일 물을 퍼내느라 친척 집을 전전하며 잠을 잔 적도 있었다. 그런 곳에서, 아빠는 출근을 하면 밤낮없이 일을 했고 엄마는 지금의 나보다 어린 나이에 집에 혼자 남아 아이 셋을 독박 육아하며, 자정까지 미싱기를 돌렸다. 엄청난 강철멘탈이 아니고서야, 엄마의 정신상태가 온전할 리 없었다. 지금도 종종 그때의 엄마 아빠를 언급하면 우리 자매는 '시한폭탄'과도 같은 분위기였다고 할 정도로, 극도의 예민함을 보였다. 간혹 돈 문제라던가 아주 사소한 말다툼이라도 시작되면 언성을 높이며 싸우고, 아빠는 아주 간혹 물건을 집어던져서 부수거나 온 집안이 떠나가라 소리를 질렀다. 그렇게 싸움이 있고 나면 그 다음날이고 다음다음 날이고, 엄마는 예민함이 극에 달해 엉엉 울거나 우리에게 짜증 섞인 말투로 화를 내기 일쑤였다.

그렇게 우리 가족이 불안불안한 서울살이를 시작한 약 6~7년의 세월 동안 내게 가끔 특이한 증상이 쌓였는데, 집을 떠나있으면 이유 없이 불안이 몰려오고 불안을 통제하지 못할 때면 발톱이 새파래질 정도로 과호흡 증상이 찾아오곤 했다. 희한하게 온 집안사람들이 조금만 실수를 해도 소리를 빽빽 지르며 싸워대는 살얼음판 같은 집이었지만, 내가 집에서 멀리 떨어져 있다는 것을 인식하는 것만으로도, 온몸에 땀이 흐르면서 숨이 가쁘게 차오르는 걸 느꼈다. 너무 힘든 상황에, 똘똘 뭉쳐 버려온 가족인지라 서로 떨어져 있는 틈을 참지 못했던 걸까. 그래서 우리 세 자매 중 가장 겁이 많았던 나에게 분리불안 증상이 생긴 걸까. 불안이 몰려오면 나는 가슴을 쾅쾅 두드리며 후하고 숨을 내뱉었다 크게 들이마시는 행동을 반복했다. 나중에야 안 사실이지만, 과호흡 증상이 올 때 입을 크게 벌리고 헉헉대는건 전혀 도움이 되지 않는다. 오히려 입을 앙다물고 코로 편하게 심호흡을 하는 편이 호흡 고르기에 도움이 된다. 그러나 초등학교 3학년 밖에 안 된 아이가 과호흡 증상에 시달릴 때 그런 이성적인 해결책을 퍼뜩 떠올릴 리가 없었다. 과호흡이 심할 때는 1시간 이상 증상이 가라앉지 않는 날도 있었다. 어떤 날은 하루 종일 증상이 지속돼서 온종일 불안에 떨며 손발을 떨기까지 해 응급실에 다녀오기도 했다. 물론 심전도 검사를 하면 아무 이상이 없다는 말만 듣고 돌아올 뿐이었다. 또 어떤 날은 아무렇지 않았지만, 그런 날에는 "언제 또 불안해질지 몰라"하는 생각에 불안해했다. 조금이라도 두근거리는 느낌이 들라치면 수도 없이 손목과 목을 통해 맥박수를 확인하곤 했다. 훗날에서야 이게 공황장애의 시작 증상이고, 예기불안에 해당한다는 것을 알았다.

뭔가 이상하다는 걸 막연하게나마 알았지만, 나는 초등학교 6학년에 불과했고 그즈음에 일어난 수학여행 사건을 계기로 나는 가족들에게 오랜 기간 마음의 문을 닫고 지냈다. 초등학교 고학년쯤이라면 대개 수학여행을 설레여하지만, 나는 수학여행을 가는 것이 몹시도 두려왔다. 과호흡을 종종 겪으며 심리적인 문제가 있다는 사실을 인지하기 시작했을 무렵이었기 때문이다. 생각해 보면 공황장애 증상을 다스리지 못하는 초등학생이, 그나마 같이 있으면 안정이 되는 가족들과 멀리 떨어져서 한번 탑승하면 쉽게 내리지를 못하는 고속도로를 달리는 차를 타고 2박 3일이나 지낸다는 것은, 공황장애를 느껴본 사람이라면 누구나 "이건 최악이야"라고 말할 수 있을법한 상황이었다. 물론 예민하고 날카로운 답변이 날아올 거라는 걸 당연히 알고 있었지만, 나는 '수학여행에 가지 않겠다'고 선언했다.

학교 선생님은 뜬금없이 수학여행에 가지 않겠다고 폭탄선언을 하자 혹시 내가 자신이 모르는 사이에 아이들에게 왕따를 당하고 있는 건 아닌지 걱정했다. 선생님으로선 좋은 의도였겠지만, 혹시 왕따를 당해 아이가 심적으로 불안을 겪고 있어 수학여행을 가지 않겠다고 할 수 있으니, 가정에서 살펴달라는 의미의 전화를 걸어왔다. 예민한 엄마는 그 이야기를 듣고 나를 추궁하기 시작했다. 엄마는 상상을 뛰어넘는 수준으로 흥분하며 나를 좁은 방으로 데리고 들어가 "정말 왕따를 당하는 게 맞냐.", "학교생활에 문제가 있었던 거냐." 같은 말들을 쉴 새 없이 큰소리로 물었다. 왕따를 당하고 있는 것도 아녔고 막연하게 불안하고 힘든데, 20여 년 전인 당시만 해도 '공황장애'라는 질병이 꽤 생소하던 시절이라 증상에 대해 뭐라 말해야 할지 몰랐던 나는 그저 울면서 "모르겠지만 가슴이 답답하다"는 말만 무기력하게 반복할 뿐이었다.

그날 이후 나는 온 가족과 학교의 골칫덩어리로 전락했다. "수학여행=불안"이라는 인식이 머리에 박히자 수련회 날짜가 다가올 수록 불안증세는 심해지기 시작했다. 때와 장소를 가리지 않고 불안과 과호흡에 시달렸고, 그럴 때면 꽉 막힌듯 답답한 가슴을 치며 울었다. 가슴이 왜 이리 답답한지, 숨은 왜 그렇게 차는지 영문을 알 수 없는 나는 그저 수학여행에 가기 싫다는 말만 되풀이할 뿐이었다. 그 상황을 지켜보는 엄마와 아빠는 내가 가슴을 치려 하는 행동을 하기만 해도 하지 말라며 기겁을 했다. 나도, 부모님도, 영문도 모른 채 우는 동생을 바라만 보는 언니들도, 학교 선생님도, 모두에게 진이 빠지는 일상이었다. 어느 순간 모두가 지쳐있다는 걸 깨달은 순간, 이 상황이 평화롭기 위해선 내가 불안을 감수하고 수학여행에 가는 수밖에 없다는 생각이 들었다. 꾸역꾸역 수학여행 길에 올랐고, 당시의 난리 통을 지켜봐 왔던 친구들은 마치 보디가드처럼 나를 챙겼다. 그러니까, 나는 정말 괴롭힘을 당하고 있는 상황이 아녔다.

몸이 아픈 게 아니니 당연히 아무 일도 없었던 수학여행에 다녀오고 난 뒤로 나는 엄마와 함께 과호흡, 손을 떠는 증상을 해결하기 위해 대학병원을 찾았다. 당시 스트레스 때문인 건지 혈뇨 증상을 보였고, 그 길로 내과와 신경외과, 혹시 몰라 산부인과까지 전전했지만 역시나 몸에 이상은 없었다. 마지막으로 내과에서 추천을 받아 소아정신과를 찾았지만, 엄마는 진단 결과에 대해 내가 아닌 본인이 이야기를 듣고 싶다는 뜻을 전해왔고 나는 엄마로부터 "아무 이상 없다더라"는 이야기를 들었을 뿐이었다. 지금도 가끔 그때 치료를 시작했더라면 어땠을까 하는 생각이 들곤 한다. 하지만 여전히 나는 엄마에게 그때 나의 진단 결과를 묻지 않았다. 지금 와서 그걸 안다 한들 달라질 것은 없거니와 엄마도 나름대로 대학병원부터 용하다는(?) 한의원까지 줄줄이 찾아다니며 백방으로 노력을 한 것을, 이제는 알고 있기 때문이다.

다만 "아무 이상 없어요"라는 말을 들었다고 해서 내 증상이 저절로 좋아질 리는 없었다. 과호흡은 청소년기에도 이어졌다. 종종 수업 시간에 문이 꽉 닫혀있는 걸 보기만 해도 식은땀이 흐르거나, 손발이 덜덜 떨리는 증상을 겪었지만, 모두가 내가 증상을 내비쳤을 때 스트레스 받아 하는 모습을 보니 쉽사리 내 증상을 이야기할 순 없었다. 종종 불안하고 종종 스트레스 받으면 눈물을 흘리고, 예민해하고, 또 그게 극에 달하면 손발을 덜덜 떠는 증상을 반복했지만, 나름의 조절하는 방법을 터득해 나가며, 그저 사춘기라 그런 걸 거라고 믿으며, 그렇게 나는 공황의 첫 시기를 넘겼다.

사실 불안보다 더 무서웠던 것은

청소년기, 그런대로 증상을 잊으며 살았던 것은 대한민국의 고등학생에겐 입시 스트레스가 그보다 훨씬 심한 것이었기 때문인지 모르겠다. 아주 조금씩, 나아졌지만 여전히 집안 사정은 좋지 않았고 그 사실은 우리 모두를 끈질기게 괴롭혔다. 그와 동시에 나를 끊임없이 괴롭혔던 건 '뭐 하나 뚜렷하게 잘하는 게 없다'는 사실이었다. 중3 때는 학교에서 그림을 꽤 잘 그린다는 소리를 들었다. 미술을 정석으로 배우진 않았지만, 항상 미술 성적이 높은 편이었고 미술 선생님으로부터 미술을 해보지 않겠냐는 소리를 종종 듣곤 했다. 한번은 구에서 열리는 작은 대회에 나가보지 않겠냐는 제안을 받았다. 그 대회에서 입상을 하면 좀 더 큰 대회에 나갈 자격도 얻을 수 있었다. 엄마에게 자랑하듯 말했지만, 예체능에 꽤 많은 돈이 드는 것을 알고 있었기 때문에 엄마는 마냥 반기지 않는 내색이었다. 나름 이 기회에 엄마를 설득해보려 했지만, 나는 그날 입시 미술의 처참한 벽을 느낄 수밖에 없었다. 그냥 학교에서 '그림 좀 그리네'하는 것과 예고, 미대를 준비하는 학생들의 그림 수준이 비슷할 리 없었다. 나름 학교를 대표해서 대회에 나간다고 나를 따라나섰던 엄마는 집으로 돌아오는 길에, 조심스럽지만 안도하는 듯한 표정으로 나를 위로했다. 그날을 계기로 나는 힘없이 미술을 놓아버렸다. "어차피 책 읽는 게 더 좋았어"라며 스스로 최면을 건듯 하루 한 권씩 책을 읽었다. 동시에 작가가 돼야만 하는 사명이라도 띤 듯이 글쓰기에 몰두했다. 아무도 내게 미술을 포기하라고 강요한 사람이 없었고, 너는 글쓰기에 재능이 있다고 말한 사람이 없었지만, 왠지 그래야만 할 것 같았다. 그래야 모두가 안심할 수 있을 것만 같았다. 얼마 전, 중학교 생활기록부를 떼봤을 때 중3 때 적어낸 장래 희망이 작가였던걸 보곤 혼자 실소를 터뜨렸다.

그러기엔 내 글솜씨가 너무 형편없었기 때문이다. 나의 졸작들은 여러 잡지사와 출판사에 들어갔고, 그나마 장려상이라도 타봤던 미술에 비해 글쓰기는 어느 입상도 하지 못 한 채 모 청소년 잡지에 "입상은 하지 못했으나 눈여겨본 작품들 몇 가지" 중 하나에 언급되는 정도의 성적을 받는 데 그쳤다. 그러니까 나는 딱 그 정도의 학생이었다. 특별하게 예쁜 외모도 아녔고, 특출나게 비상한 머리를 가진 것도 아녔다. 공부도 노력은 하지만, 아주 애매한, 대단하게 공부를 잘했다! 라고 할 순 없어도 그렇다고 또 공부를 아주 못했다! 라고도 할 수 없는 성적을 받았다. 뭔가를 아주 뛰어나게 잘할 것이 아니라면 괜히 투자해서 마이너스를 만드는 것보단 0으로 두는 것이 더 나은 것이 내가 처한 상황이라는걸, 나는 너무 일찍 깨달아버렸다. 그렇게 애매한 시기를 지나 애매한 대학 생활이 시작됐다.

기적이 찾아오기도 했었다.

그때쯤 우리 집안 형편은 조금 더 나아지고 있었다. 밤낮없이 일한 엄마·아빠 덕에 겨우 숨통이 트이듯 찾아온 경제적인 여유는 우리 집에 아주 천천히 작은 평화를 가져왔다. 엄마의 히스테릭한 짜증이 점차 줄어들면서 심리적으로 불편하게 느껴졌던 엄마가 조금은 편안해졌다. 엄마와 아빠가 싸우는 횟수는 눈에 띄게 줄어들었다. 가끔은 가족들이 다 함께 여행을 가기도 했다. 우리는 다섯 식구가 함께 자던 단칸방에서, 세자매가 한방을 쓰는 집으로, 그 이후엔 좁지만, 세 자매가 두 방을 나누어 쓰고 엄마 아빠도 안방을 차지할 수 있는 환경으로 점차 넓은 집으로 이사를 해나갔다. 오랜만에 찾아온 경제적 여유를 최대한 유지해야 이 평화가 유지될 수 있다는 생각에 사로잡혔던 탓일까, 나는 대학 생활 내내 아르바이트와 적금에 집착했다. 주말에 서점과 편의점 아르바이트를 시작으로 토익학원 아르바이트, 동네 도서관 아르바이트 등등 다양한 아르바이트를 섭렵했다. 그것도 모자라 나중에는 평일 아르바이트를 병행하기 시작했다. 과 사무실에서 주 3일 정도 일을 할 때도 있었고, 도서관 아르바이트를 이어서 평일엔 하루 이틀 정도 어린이 도서관에서 아르바이트를 할 수 있었다. 도망치듯 휴학을 했을 때에는 예의 그 "너 친구 없지?"란 말을 들었던 회사에서 체험형 인턴으로 일하며 아르바이트보다 훨씬 많은 돈을 받을 수도 있었다.

그래서인지 사실 학과 생활은 잘 기억에 남지 않는다. 그것보다 과자 '로아커'라던가 음료수 '모구모구'의 맛이 더 기억에 남을 뿐이다. 평일 수업이 끝나고 아르바이트하러 가기 전에 배는 채워야 하는데, 지금처럼 넉살도 없던 때라 학식을 혼자 먹는 건 부끄럽고, 그렇다고 한 끼 제대로 챙겨 먹기엔 시급의 1.5배 가량을 써야 하므로, (당시만 해도 시급이 5,000원을 넘지 않던 시기였으니까) 편의점에서 우유 하나에 곁들여 먹을 과자나 빵을 자주 먹었기 때문이다. 그때 로아커는, 왜 그렇게도 2+1 행사를 자주 했는지, 우유 한 팩에 로아커 2+1을 꾸역꾸역 욱여넣으면 그런대로 배는 차고, 가격으로 따지기에도 4,000원 안팎이었기 때문에 부담도 없었다. 요즘도 가끔 빈 강의실이나 도서관 휴게실에서 로아커와 우유를 먹던 때를 떠올리곤 한다. 밥 먹는 돈 정도는 엄마에게 요청할 수 있었을 텐데 그게 뭐라고 그렇게 궁상을 떨었는지. 로아커는 죄가 없다만, 지금은 로아커는 커녕 비슷하게 생긴 웨하스도 거들떠보지도 않는다.

그렇게 돈을 모아서 일단 용돈으로 대부분을 썼다. 전공책을 사기도 했고, 나름 외국어에 관심이 많아서 일본어 학원을 등록해서 다니기도 했다. 마음의 여유도 조금씩 커지니 꽤 좋은 일들이 따라붙었다. 대학에 들어가고 처음으로 남자친구가 생겼다. 항상 소심하고 쪼그라들어 있는 나에게 뭐든 주도적이고 호쾌한 성격이었던 그를 좋아했는지, 동경했던 건지, 그를 알게 된 지 얼마 지나지 않았을 때부터 나는 그를 졸졸 따라다니며 첫 연애를 시작했다. 또, 처음으로 병원에 가서 약을 받았다. "정신과 약 오래 먹으면 치매 위험이 높대", "진료 비용이 한 번에 10만원이 넘게 든대" 같은 이야기들을 듣고 숱하게 고민했지만, 이제 겨우 사회활동을 활발하게 시작하려는데 정신적인 문제가 발목을 잡는다니 이건 너무 아까웠다. 정신과치료에 회의적이었던 엄마는 이야기를 듣고 반신반의했지만, 생각보다 정신과 진료비는 부담이 되는 수준이 아녔고 걱정이 무색하게도 약의 힘은 굉장했다. 나는 가끔 처음 약을 먹던 그 순간을 영화 〈해리포터〉의 자신감을 북돋아주는 약이 나오는 장면에 묘사하곤 하는데, 마치 마법의 약인 마냥 약만 먹으면 잠시 뒤에 지하철을 타도 불안이 높게 일어나지 않고, 많은 사람들 앞에 서서 발표를 하는 데에도 거침이 없었다. 정신과 약에 대해 인터넷 검색을 해보면 이런저런 부작용들이 많다고들 하는데, 나는 운이 좋게도 그 흔한 부작용 한번 겪은 적이 없었다.

내게 일어났던 기적같이 행복했던 순간들의 최정점은, 그렇게 아르바이트를 해서 야금야금 2만원, 3만원씩 모은 적금 72만원으로 대학교 4학년 무렵, 처음으로 해외여행을 다녀온 것이었다. 하필이면 물가비싼 홍콩을 선택하는 바람에 혼숙 6인실을 돌면서, 그 쇼핑으로 유명한 홍콩에서 그렇다 할 물건 하나 건져 온 게 없었지만, 불과 2~3년 전만 해도 지하철에서 헉헉대며 땀을 흘리던 내가 4시간 거리를 날아 아무렇지 않게 (물론 엄청난 양의 약을 먹긴 했지만) 비행기를 타고 공황장애 환자에겐 위험천만하게 느껴지는 해외를 다녀온 것이다. 비행기가 뜨고 홍콩에 거의 다다랐을 때 창밖을 내다보면서 어딘가에 갇혀있다는 생각이 아닌 해외여행의 설렘을 느끼는 순간, 나는 세상을 다 가진 기분을 느꼈다. 아직까지도 그때의 그 기분을 잊을 수 없어서, 나는 만약 결혼을 하게 되면 신혼여행지를 홍콩으로 가겠노라고 마음먹었다. 나는, 이제 정말, 완치에 가까운 사람이 아닐까, 하는 생각이 들 정도였다.

방심하는 순간, 또다시

홍콩에 다녀온 뒤 나는 복수전공과 취업 준비에 더더욱 매진하기 시작했고, 주변인들에게 많은 변화가 있었다. 하나는 3년 정도 만난 남자친구와의 이별이었다. 이제야 말할 수 있지만, 모두가 '어른스럽다'며 입을 모아 칭찬하던 그는 아주 가끔 대외적인 그의 모습과 다른 모습을 보이는 때가 있었다. 언젠가는 사소한 언쟁을 벌이다가, 학교 건물 계단에서 난데없이 내게 욕을 하며 삿대질을 했다. 또 한번은 그가 스트레스를 많이 받던 어떤 일의 경과에 관해서 묻자 컴컴한 뒷골목을 지나다가 별안간 어느 건물의 벽으로 밀어붙여 벽에 '쿵' 하고 머리를 부딪히기도 했다. 다행히 세게 부딪히지는 않았고 심각한 일로 이어지지는 않았지만, 아직도 그때 뒤통수의 감촉이 기억날 정도로 불쾌한 감정이 남아있다. 그는 종종 친구나 동기들의 페이스북을 염탐하다가 예쁜 외모의 여성이 보이면 친구 신청을 보냈고, 그걸 우연히 발견한 내가 왜 그랬냐 물으면 한결같이 "그냥 친구의 친구니까 우리는 다 아는 사이다." 같은 이해할 수 없는 말만 반복하곤 했다. 뒤늦게 군에 입대하고서도 내게 거짓말을 하고 같은 과의 여자 동기들을 만나곤 했다. 그냥 그 시점에 이별을 통보했어야 했는데, 나는 그러질 못했다. 고작 우리를 행복한 커플로 바라보고 부러워하는 주변의 시선이 두려웠다. 이렇게 헤어진다면 마치 그들이 내가 그들을 기만했다고 생각하진 않을까, 뒤늦게 군대에 간 남자친구를 버렸다고 손가락질하지 않을까, 두려움이 먼저 앞섰다. 그렇게 1년 반이 넘게 아무 애정 없는 관계를 이어 나갔다.

그 순간의 나도 이기적이었던 건 그와의 이별에 감정이 다칠 게 걱정되는 게 아니라 내가 공황 증상을 느끼면 전화하고 달래줄 사람이 한 사람 줄어들 것이라는 것만 걱정했다. 몇 번의 입씨름을 반복한 끝에, 나는 결국 3년 만에 그와 이별할 용기를 낼 수 있었다. 두 번째론 그 시기, 아니 처음 증상을 느꼈던 시점부터 한결같이 내가 가장 의존해 왔던 쌍둥이 언니가 교환학생으로 한국을 떠나게 되는 일이 겹쳤다. 일본, 중국 정도로 가까운 나라도 아니고 멀리 10시간이 넘게 비행을 해야 하는 유럽이었다. 그녀는 언제나 내가 가장 의존하던 사람이었다. 가족들이 약에 대해 회의적인 반응을 보일 때에도 약을 이상하게 생각하지 말고 병원에 가보라는 말을 해주었고, 감정적으론 위로가 되지만 별 도움이 되지 않는, "아무 일 없을 거야, 파이팅!" 같은 말을 하기보단 공황에 대해 공부하려 애썼고 느껴지진 않더라도 느껴보려 애썼다. 어쩌면 내가 병원에 가고, 약을 타고, 가족들마저 약의 효과를 느끼며 긍정적인 변화를 불러온 데에는 밤낮 설치며 나의 증상에 대해 들어주고, 위로한 그녀의 덕이 컸을지 모른다.

애정 없는 관계였을지라도 징징댈 남자친구가 떠났다. 이제 가장 크게 의지하고 있던 언니마저 곧 떠난다. 이건 뭔가 대책이 필요했다. 약물치료는 이미 하고 있으니 다른 치료나 의지처가 필요했다. 그렇게 공황장애 관련 카페에 가입해 관련 글들을 탐독하기 시작했다. 우연히 대학에 무료 심리상담센터가 있다는 사실을 알게 됐다. 나는 낯선 공간에 처음 가면 입을 떼기 전까지 시간이 걸리니, 서둘러야 한다. 그렇게 언니가 유럽에 가기 약 3주쯤 전, 나는 처음으로 대학 심리상담센터의 문턱을 넘었다.

그리고 예상했던 대로, 언니가 유럽으로 떠나고 얼마 지나지 않아 나는 다시 예전으로 돌아간 듯 공황 증상에 시달렸다. 또다시 분리불안 비슷한 거였는지도 모르겠다. 감성적인 말로 위로를 잘하는 큰언니나 이제는 증상에 대해 거부감이 없는 엄마, 아빠, 그리고 단짝 친구들도 모두 내 곁에 있었지만, 누구보다 나를 제일 잘 아는 사람이 없다는 생각에 척척 잘만 다니던, 지하철로 약 1시간 정도 거리의 학교를 약이 없으면 불안해서 나가기도 힘들 정도에 이르렀다. 지하철을 차면 타기 전까지 아, 그냥 도망갈까? 집으로 돌아갈까? 하는 수십 가지 고민을 하며 감정이 오락가락했다. 집엔 아무도 없는데. 그래서 더 불안해지면 어떡하지. 온몸에 땀이 줄줄 흘렀다. 가방을 뒤로 메고 있으면 가방이 축축해질 정도였다. 그러다 보면 지하철이 왔고, 도살장에 끌려가듯 몸을 실었다. 서 있으면 서 있는 대로, 자리에 앉으면 앉는 대로 불안했다. 매분, 매초를 지나면서 한 정거장 한 정거장 남은 정거장 수를 계산했다. 그 무렵 나에게는 뭐든 넣어서 다니는 버릇이 생겼는데, 증상이 심하게 올라오면 추가로 먹을 수 있는 '필요시' 약을 담은 약통과 물, 한눈을 팔기 위한 책 한 권, 그리고 그것도 통하지 않으면 "괜찮다. 정말 괜찮다." 따위의 말을 쓰기 위한 노트와 펜 한 자루였다. 지하철만이 문제는 아녔다. 범불안장애라고 봐야 하나, 의학적 지식이 없어서 정확하진 않지만, 공황으로 인한 불안을 느끼는 사람에겐 사방이 공포다. 당시 졸업을 위해선 토익시험을 봐야 했는데, 대형 강의실에 꽉 들어찬 사람들 사이에 앉을 용기가 없어서 소수 반을 등록해 들었다. 그마저도, "만약 토익시험 LC 파트를 듣다가 답답해서 폐쇄적인 시험장을 뛰쳐나가야 하는데, 다른 사람들한테 민폐여서 어떡하지?" 같은 것들을 고민했다. 폭우라도 쏟아지는 날엔 앞이 안 보여서 불안했다. 폭설이 내려서 바닥이 미끌미끌한 날엔 불안이 찾아왔을 때 빠르게 걷지 못해서 위험에서 빨리 도망칠 수 없을 거란 생각에 불안했다. 한심해 보이겠지만, 그땐 그랬다. 별것도 아닌 거에 소스라치게 놀라고 점점 의욕을 잃어갔다.

그러면 그럴수록, 나는 유일한 희망의 끈처럼 대학교 심리상담에 더더욱 의존했다. 상담 내용은 매번 비슷한 패턴으로 진행됐다. 한 주간 있었던 일을 나누고, 특별히 상처를 받았다거나 공황증상을 느꼈던 사건에 관해 이야기했다. 그리고 항상 대화의 말미에는 그때 나의 감정이 어땠는지, 꼼꼼하게 묻고 솔직하게 이야기하는 시간을 갖곤 했다. 일주일간 나에게 무슨 일이 있었고 그때 어떤 공황 증상을 느꼈는지까지를 상세하게 이야기하는 것쯤은 아무 문제 없었지만, 아이러니하게도 가장 어려운 것은 '그 상황에 나의 감정이 어땠는가?'에 관한 것이었다. 그냥 그때 느낀 그 감정을 말로 표현하면 될 일인데, 평소 수업 시간에 발표를 도맡아 하는 내가, '말 정말 잘한다'는 소리 좀 듣고 지내는 내가 번번이 나의 감정을 설명하는 단계에서는 어버버하는 발음과 함께 힘없이 주저앉았다. 나중에는 선생님이 챙겨온 '감정 카드'를 가리키며 감정을 이야기하는 단계에까지 이를 정도였다. 생각해 보면, 증상을 인지하기 시작했던 13살 이후로 약 10년 만에 처음으로 누군가에게 내가 겪고 있는 증상과 감정, 그동안 은은하게 품어왔지만, 누구에게도 말 하지 못했던 주변 사람들에 대한 원망 같은 것들을 풀어내는 자리였다. 너무 감정을 묵혀왔던 탓일까. 나는 매주 상담 시간만을 기다렸다가 매시간 원망과 한, 피해의식을 풀어내는 데 사용했다. 상담 날이 되면 매번 그날의 공격 대상을 마음에 품어 두고 마치 그가 나에게 죽을죄를 짓기라도 한 양 과장을 섞어가며 그에 대한 원망을 쏟아냈다. 그 상대방이 꼭 못돼 먹은 사람이며, 순진하고 말 못하는 나는 항상 당하는 포지션에 있었음을 강조했다. 그 대상은 꼭 남에게만 국한되지 않았다. 어떤 때에는 중학교에 올라가기 전 소아정신과에 가지 못하게 막았던 엄마를, 언젠가는 의견 대립을 하다가 말문이 막힌다 싶으면 소리를 냅다 지르는 아빠를, 또 어떤 때에는 내게 욕을 했던 전 남자친구를 마구 비난했다. 의존하던 사람들에게서 독립하려던, 본래의 목적은 상실한 채 매주 상담 날이면 그렇게 울분을 토해냈다.

생활은 더더욱 엉망이었는데, 매일 기분을 좀 풀어보겠다고 새벽 6시가 다 되도록 영화 내지 예능을 봤다. 그리곤 오후 3시~4시쯤 일어나 생활을 시작했다. 그러다가도 그냥 철퍼덕 누워 그대로 잠이 들어버리기도 했고, 잠을 자느라고 학교에 결석한 적도 있었다. 가끔 머리를 감지 않은 채로 2~3일 정도를 보내거나, 아무것도 하지 않아 배가 고픈 느낌도 없어 3끼 정도는 건너뛴 적도 있었다. 정신과에 가서는 웬일인지 "몸이 물에 젖은 솜 같아요." 같은 말 따위를 할 정도로 몸이 무거웠다. 선생님은 우울증 치료 병행을 권하기도 했다.

의욕 없는 채로 상담에 매달리던 나를 바꾼 건 꽤 별거 아닌 순간이었다. 그날은 사촌오빠에게 서운했던 마침 울컥하던 참이었다. 유독 형제간에 사이가 좋은 아빠 덕에 종종 친가의 가족들과 여행을 떠나곤 했는데, 좋지 못한 경제적 상황 탓에 여행지에서 우리 가족은 늘 누군가에게 빚지는 신세였다. 그걸 본 사촌 오빠가 아빠를 가리키며 "삼촌이 돈 쓰는 일이 뭐가 있냐?"고 뒤에서 구시렁대는 소리를 듣고야만 것이다. 상담 선생님을 본 나는 사촌오빠가 그동안 우리 가족을 얼마나 무시해 왔으며, 어떤 말을 했었고, 그때 내가 어떤 굴욕감을 느껴 왔었는가에 대해 설명했다. 그 말에 깊이 공감해 주며 사촌오빠를 아주 나쁜 사람으로 만들어 버리고 싶었던 나의 기대와는 다르게, 상담 선생님은 이제는 지겹다는 듯, "○○ 씨는 ○○ 씨를 욕하는 말을 그렇게 잘 들어요? 어디서 그런 말을 그렇게 들었는데요?"라고, 물었다. 더는 듣기 지친다는 듯한 표정에 당황한 나는 또 목소리가 쪼그라들어 가면서 "그… 방 구조가 어떻게 생겼냐면요…"라며 특이한 방 구조상 내가 우연히 그들의 뒷담화를 들을 수 있는 환경에 있었음을 몇 번이고 해명했다. 그 이야기가 사실이기는 했지만, 그날 상담실을 나오며 문득 나는 얼마나 많은 사람을 억지로 미워하고 원망하기만 했는지에 대해 고민했다. 나의 심리 상황에 대한 고민이라던가 불안을 떨쳐내는 방법에 대한 진지한 고민이 아닌 나는 그저, 내 맘속에 쌓인 누군가를 미워하고 원망하는 마음만 잔뜩 토해낼 뿐이었다. 방학 때 학교까지 왕복 3시간을 오가며 그저 남 뒷담화에만 몰두하는 상담이 어떤 의미가 있는가, 게다가 상담선생님이 더 이상 듣기 힘들다는 의사까지 표현할 정도의 신세 한탄이 얼마나 나를 갉아먹고 있는가에 대해 깨달은 나는 그 주를 마지막으로 상담을 멈췄다. 마침 그 시점, 쌍둥이 언니가 귀국을 했다. 그리고 좀 더 적극적인 약물 치료를 시작했다.

그래도 가끔 불안했고, 지하철을 타고 가다 자주 가던 익숙한 길인데도 중간에 내렸다가 숨을 고르고 다시 타던 일도 있었다. 나는 특히 차에 대한 공포가 심해서 고속도로를 달린다거나 모르는 동네에서 시내버스만 타도 두근거리는 느낌과 과호흡, 온몸에 땀이 나는 증상들이 통제할 수 없을 정도로 몰려오곤 했는데, 연습 삼아 시내버스를 타고 옆 동네의 중고 서점에 가본다거나, 단기 아르바이트를 구해서 새벽같이 집을 나서보기도 했다. 생각보다 캄캄한 겨울 새벽 아침 거리를 보곤 놀라서 버스를 타고 가다 중간에 뛰쳐내렸지만, 다시 뒤따라오는 택시를 붙잡아 타고 어떻게든 아르바이트 장소까지 가는 억척스러움이 조금 늘었다. 약을 먹고 성공하는 날도 있었고, 약을 먹지 않고도 종종 성공하는 날이 있었다. 취업 준비를 하며 운이 좋게도 마음이 맞는 여러 사람을 만나기도 했다. 나는 키가 작은데도 몸무게가 평소 7~8kg은 거뜬히 왔다 갔다 할 정도로 고무줄 체형인데, 취업 준비를 하며 나름 고생스러웠는지 스트레스를 받아 찐 살이 쪽 빠질 정도로 나름 다시 바쁜 생활을 보냈다. 서류 한 군데에도 통과하지 못했던 2번의 공채 시즌을 지나, 세 번째 시도 끝에 회사에 입사하게 되면서 첫 사회생활을 시작했다.

사회생활은 사람 때문에 무너지고 사람 때문에 버틴다.

가뜩이나 내성적인 성격에 회사의 막내 생활을 보내는 건 정말 괴로운 일이다. 일을 처음 배우는 단계니 가끔은 뻔뻔하게 물어도 봐야 하고, 그렇다고 실수를 안 하는 건 거의 불가능에 가까운 일이니, 사과를 입에 달고 살아야 하며⋯ 보수적인 분위기의 회사라면 싹싹함과 센스는 기본적으로 장착해야 하는, 내향인들에겐 최악의 시기가 아마 이 시기가 아닐까 싶다. 아니나 다를까, 내가 들어간 회사는 모 기업평판 사이트에서 평점 1점대를 벗어나지 못하는 꽤 보수적인 분위기의 회사였는데, 입사 한 달여 만에 나는 아직도 잊히지 않는 하나의 사건을 겪었다. 첫 월급을 받고 일주일쯤 지났을 때였나, 퇴근하며 돌아가는 길에 나의 첫 회사 사수는 이렇게 말했다. "너희 집처럼 가정교육을 시키면 안 되는 거야." 내가 누군가에게 무례한 행동을 한 건 아녔다. 폭력을 행사했다거나 상식 밖의 행동을 하지도 않았다. 단지 그는 내가 신입사원임에도 불구하고 선배들의 농담에 리액션이 지나치게 부족하고, 첫 월급을 탔는데도 선배들에게 식사를 대접하지 않음을 지적했다. 하나부터 열까지 이해가 되지 않는 말이어서 금요일 퇴근길 강남역에서 내가 왜 이런 이야기를 듣고 있어야 하는가에 대한 의문이 머릿속을 떠나지 않았지만, 그 순간 역시도 나는 아무 말도 할 수 없었다. 아니 사실, 기분 나쁜 말을 들었을 때 대처하는 방법에 대해 나는 알고 있는 게 아무것도 없었다. 그 일이 있고 주말 내내 나는 머리를 싸매고 팀 선배들에게 돌릴 선물을 고민했다. 가벼운 쿠키를 살까,

식사를 대접할까, 커피를 한 잔씩 돌릴까… 등을 고민하면서 그 주말에도 나는 스물다섯의 신입사원을 상대로 무례한 요구를 해온 사람에게 분노하는 게 아니라 센스 있는 사회생활을 하지 못 한 내 자신을 탓했다.

왜였는지 이제 와서 이유를 찾고 싶진 않다. 내가 일을 완벽하게 잘했다고 스스로를 옹호하고 싶지도 않다. 당시의 나는, 어리바리하고 일을 못 했다. 신입사원임을 감안하고 봐도 그때의 나를 떠올리면 답답할 정도로 사회생활을 못 했다. 그에 더해 그들이 내게 요구했던 '사회생활'이란 건 일반적인 상식선에서 벗어난 행동들이 종종 있었다. 입사 후 얼마 지났을 무렵부터, 나는 묘하게 이 팀은 한 사람의 주도 아래 팀장님을 빼고 굴러간다는 듯한 느낌을 받았다. 팀장님을 제외하고 식사를 하러 간다던가, 밥을 먹고 나선 팀장님을 빼놓고 카페에 간다던가 하는 일들이 종종 있었다. 팀장님에게도, 어느 상사에게도 잘 보여야 하는 신입사원의 입장에서 나는 팀장님과 그들 무리에 항상 어정쩡하게 끼어있었다. 그게 독이 된 건지 가끔 나나 팀장님이 그들의 성미에 맞지 않는 행동을 할라치면 그들의 키보드 치는 소리가 빨라지면서 킥킥대거나 한숨을 쉬는 소리가 들리곤 했다. 그리고 특히 '그 주동자'의 한숨 소리가 크게 들린 이후에는 나의 사수가 벌떡 일어나 내게 짜증을 내거나 무안을 주는 이야기를 하며 잔소리를 늘어놓기도 했다. 그들은 마치 내게 "노선을 잘 타라"고 압박이라도 주듯 팀장님을 제외하고 저녁을 먹으러 가자고 하거나, 심지어는 같이 여행을 가자고 제안했다. 거기서 미적지근한 반응을 보이면 마치 주류의 무리에서 퇴출당하는 것일까 두려움이 들어서, 즐거운 척 그들의 회식에 따라나선 일도 있었다. 어쩔 땐 친근하게 굴면서도, 어쩔 땐 기분이 급격하게 가라앉아 말 한마디 없었다. 한번은 팀장님을 빼놓고 카페에 간 날이었는데, 당시만 해도 나는 커피를 한 잔도 못 마시던 때라 그냥 수다를 떠는 데에만 합류해 있던 상태였다. 커피를 기다리며 딴짓을 하다가 나도 모르게 휴대폰을 떨어뜨리고 말았다. 그걸 본 그녀가 별안간 인상을 쓰며 우리랑 같이 있는 게 그렇게 싫으면 동네를 한 바퀴 돌라며 짜증을 냈다. 마치 내가 그러겠다고 하고 당장 자리를 뜨지 않으면 안 될 것처럼, 다른 사람들은 내가 일어날 때까지 별다른 말 없이 모두 나를 가만히 응시했다. 커피가 나오고 나는 자리에서 어정쩡하게 일어나서 동네를 한 바퀴 돌았다. 그날 느낀 묘한 굴욕감을, 아직도 잊을 수 없다.

그렇게 약 1년 후, 팀장님은 어느 날 갑자기 퇴사를 선언하고 이틀 만에 회사를 떠났다. 누구나 이유를 알고 있었지만 차마 입 밖으로 내진 않았다. 그때쯤 우연한 계기로 팀을 옮기게 되어 그들과 매일 8시간씩 마주치지는 않았지만, 업무상의 이유로 하루에도 여러 번 마주치는 건 어쩔 수 없었다. 남을 미워하는 습관이 있는 사람들이 아주 고약한 것이, 미움의 대상이 사라지면 그 틈을 견디지 못하고 또 다른 미움의 상대를 찾아 나선다. 당연하게도, 팀장님과 그들 사이에서 어정쩡한 포지션을 유지하며 외줄을 타던 내가 그다음 타깃이 됐다. 물론 그들이 작정하고 나를 괴롭히겠다고 맘을 먹은 것은 아녔을지 모른다.

내가 심리적으로 취약해져 있을 때라 더욱더 피해의식을 느꼈을지도 모른다. 나에게 폭력을 행사했다거나, 욕을 심하게 했다거나, 직장 내 괴롭힘이라 할 만한 행동을 한 적도 없었다. 단지 가끔 점심을 먹고 나를 따돌리고 카페에 가다 길거리에서 마주친다거나, 내가 실수를 한 어떤 날이면 그들의 카카오톡 프로필 사진이 바뀌고 그 상태 메시지엔 누가 봐도 나를 가리키는 듯한 문구가 초성으로 저격하듯 적혀있었다. 나는 불안에 떨며 매일 퇴근길이면 그들의 카카오톡 프로필을 살피기 바빴다. 우리 가족과 그 무렵 만나던 남자친구는 죄도 없이 그 모든 신세 한탄을 받아들여야만 하는 신세가 됐다. 나는 매일 출근 이후부터 그들에게 책잡히는 행동을 하지 않기 위해 노력했고, 그들은 아주 조그마한 틈을 비집고 들어와 나를 비난했다. 나는 그 모든 것을 겪는 족족 가족과 남자친구에게 전하며 그들을 비난했고 듣는 사람도, 말하는 나도 점점 지쳐만 가는 이상한 상황이 계속됐다.

당시 아침은 스트레스를 받으니 단 음식을 찾았다. 전날 밤부터 출근을 생각하면 괴로우니 잠을 못 자서 커피를 찾고, 단 게 당기니까 믹스커피만한 음식이 없었다. 아침에 출근하면 큰 종이컵을 갖다가 믹스커피를 3~4개 정도 한 번에 타서 1시간도 안 되는 시간 동안 2잔 정도를 마셨다. 몸에 안 좋은 건 알았지만 그렇게라도 해야만 스트레스가 풀리는 듯했다. 구내식당을 가도 그들과 마주칠 수밖에 없는 위치에 있었기에, 밥을 먹다 보면 항상 체한 건지 목에 뭔가 꽉 걸린 듯이 울렁울렁하고 가슴이 타들어 가는 느낌이 들었다. 그렇게 불편한 느낌은, 밥을 먹고 나서 한두 시간 후 게워 내면 간신히 가라앉았다. 그렇게 음식을 먹기가 힘이 들었는데도 회식 자리에서 사장님이 서비스로 자리마다 올려준 고기를 내가 선배보다 더 먼저 집어먹었단 이유로, 그녀는 "선배도 좀 먹게 좀 두지 그러냐"며 눈치를 줬다. 그걸 본 내 사정을 알고 있던 다른 팀 팀장님이 "얼마 먹지도 않는 애한테 왜 무안을 주냐?"며 내 편을 들었다. 찔끔 눈물이 났다. 그걸 또 언제 봤는지 그날 밤 그녀의 카카오톡 상태 메시지는 "나도 울고 싶다."였다. 당시 회사에서 일어난 어지간한 일은 전부 엄마에게 터놓고 이야기했는데, '먹지 말라'고 핀잔을 들었던 이 일만큼은 지금까지도 엄마에게 말 하지 못했다.

이쯤 되니 주변의 다른 사람들도 퇴사를 권했다. 내 작은 키에 꽤 통통한 수준이었던 몸무게가 13kg 정도가 빠졌고, 이상하게 목에 무언가가 꽉 막혀서 콱 걸린 듯한 느낌이 들었다. 남자친구는 그런 나를 위해 깜짝 선물을 하거나 주말에 근교로 드라이브를 나가기도 했다. 나의 증상을 온전히 알고 받아들여 줬던 그는, 내가 무슨 일이 생기면 금방 내릴 수 있도록, 그게 빙 돌아가는 길일지라도 시내 길만을 골라 서울 근교로 나가곤 했다. 옆 팀에서 매번 내 이야기를 듣던 팀의 대리님은 내가 속이 안 좋아 쉬고 있던 어느 점심시간, 음료수를 하나 챙겨주면서 "아직 토익 점수나 자격증 따 놓은 게 있으면 빨리 나가라"고 말해 줬다. 모 과장님은 퇴근 이후까지 시간을 내서 내가 공무원이든, 전문직이든 공부를 해서 다른 직업을 구하는 게 전혀 늦은 나이가 아님을 상기시켜 주고 끊임없이 고민을 들어줬다. "내 카드를 줄 테니 힘든 날엔 비싼 거 먹고 와서 기분 풀어."고 말해준 상사도 있었다. 아이러니하게 사람 때문에 죽을 것 같았는데, 사람 때문에 끔찍한 기분을 견디며 다녔다.

사이다처럼 사직서를 얼굴에 집어 던지고 나온다거나 드라마처럼 머리채를 잡고 싸운다거나 하는 상상을 얼마나 수도 없이 했는지 모른다. 2년은 채워야 그래도 경력이 되지, 하던 생각으로 버티던 나의 첫 직장생활은, 결국 2년을 채 버티지 못하고 끝이 났다. 마지막까지 나는 뭐에 씌였는지 "다 알고 있으니 솔직하게 말해달라"는 부장님의 말에도 "너무 좋은 사람들과 함께해서 좋았다"는 말도 안 되는 거짓말을 했다. 그때쯤 이미 부서가 달라져서 다른 층에서 근무하던 그들은 마지막 내가 떠나는 날 나를 보러 오지 않았다. 다만 전화가 와서는 자신들이 사비로 사준 사무용품들을, 이제 새로 들어오게 될 자신들의 신입사원에게 줘야 하니 깨끗이 씻어서 다시 돌려달라는 말을 할 뿐이었다. 그 후로 오랜 시간 그들의 소식을 애써 외면했다. 단지 소문으로 그녀가, 좀 조울증 같은 게 아니냐는 소문이 돈다는 얘기를 들었고, 곧이어 퇴사를 했다는 이야기를 전해 들었다. 글쎄 그걸 듣고 딱히 기쁘지도, 안타깝지도 않았다. 그냥 그 날 하루 기분이 좀 싱숭생숭할 뿐이었다.

3차 공황 대전

그렇게 첫 직장을 퇴사하고 나는 다시 무의미한 시간을 보내던 나로 빠르게 돌아갔다. 그동안 받았던 스트레스를 한 몸에 느끼면서 또다시 새벽 6시쯤 잠을 청하고 오후 3~4시쯤 일어나 하루를 시작하는 일상이 시작됐다. 그마저도 사실 몸이 일으켜지진 않지만, 아르바이트를 마치고 집에 돌아오는 엄마가 괜히 나를 한심스럽게 보는 것처럼 느껴져 엄마에게 오늘 하루를 알차게 보내고 있었던 사람인 척하기 위해, 억지로 눈을 떠서 티비를 틀고 있기 일쑤였다. 퇴사를 하고 목에 뭔가 울컥 걸려있는 느낌은 사라졌지만, 엉망이 된 식습관 탓에 역류성 식도염은 그대로 남아있었다. 절망스러웠다. 약 15년 전부터 시작된 이놈의 지긋지긋한 증상이, 잠깐 좀 나아졌다 싶으면 다시 시작되고, 좀 나아졌다 싶으면 또 시작됐다. 그래도 확실히 나름 불안 경력직이라고 좀 나았던 걸까. 15년쯤 전과는 달라진 정신과에 대한 인식, 약을 먹고 나아지는 나를 지켜봐 온 가족들의 격려, 남자친구의 세심한 배려 같은 것들이 모여 다시 약을 먹기 시작했고 심지어 전보다 약의 용량이 더 늘어난 채였지만 이직을 할 수 있었고, 코로나로 인해 회사가 어려워지자 과감히 회사를 그만두고 내가 해보고 싶었던 공부를 1년 정도 해볼 수 있는 기회도 얻었다.

그 이후 아무렇지 않게 완치가 되었다면 내가 공황에 빠졌던건 두번에 그친 것이었으니 정말 이 글을 쓰이지 않았을 것이다. 안타깝게도 나는 세번째 불안의 시기를 맞았다. 짧은 글로 생략된 그 코로나 시기에 나는 많은 일을 겪었다. 하나는 회사를 그만두고 처음엔 하고 싶은 일을 한다는 해방감을 느끼며 심리적으로 안정을 찾아가는 듯했지만, 이내 또다시 어딘가에 소속되어 있지 않은 채 경력에 틈만 생기는 것이 아닐까, 탈락하게 되면 아무것도 아닌 허송세월이라는 공포가 나를 덮쳤고 급기야는 시험을 보는 내내 그 생각에 사로잡혀서 고사장이 또다시 폐쇄적인 공간으로 변해 그 안에 영영 갇히는 듯한 상상에 시달렸다. 실제로 2차 시험을 보러 간 첫날, 땀을 비 오듯 흘리며 시험 중간에 약을 먹고서야 시험을 마치고 나올 수 있었다. 두 번째론 다시 또 이별을 겪었다. 돌이켜 생각해 보면 항상 나를 배려하며 내 증상에 집중해 주었던 친구였건만, 나는 항상 그에게 증상을 핑계로 그가 나를 찾아오도록 다그치거나 언제 어디서나 5분 대기조처럼 내가 불안할 때 나에게 맞춰 전화를 받아주길 원했다. 공부를 막상 시작하려 하니 이 사람에게 끊임없이 의존하고 있는 내 자신이 무서웠다. 증상을 무기 삼아 이 친구에게 동정을 사서 이 친구를 붙잡고 있는 것은 아닐까, 하는 공포감이 들기도 했다. 내가 이 사람을 갉아먹는 존재가 아닌지 늘 생각했다. 그 무렵 남자친구 역시도 우리의 관계가 끝이 보여간다는 것을 알면서도 주말엔 꼭 시간을 내서 가급적 나를 만나려 애썼다. 둘 다 서로를 배려하자면 놓아주는 것이 맞다는 판단이 머리를 떠나질 않았지만, 당장 떠나보내면 내가 너무 큰 불안에 시달릴 것 같다는 생각 또한 머리를 떠나지 않았다. 몇 번의 고민 끝에 결국 나에겐 나 스스로 혼자 바르게 서는 것이 필요하다는 생각이 들었고 긴 시간의 대화 끝에 우리는 이별을 맞았다. 아직도 우리의 관계를 위한 그의 헌신에 고마움을 느낀다. 그 일을 계기로 나는 좀 더 성숙하고 긍정적인 연애에 대한 생각을 갖춰나가고자 노력 중이다. 그리고 약 9개월 후, 당연하다는 듯 두 번째로 시험에 떨어졌다. 사실 한 번 정도는 더 도전해볼까?하는 욕심도 없잖아 있었지만, 그 고시 공부의 어마어마한 양과 압박감을 느껴보니 또 다시 불안을 견뎌낼 자신이 없었다.

어쨌든 살아는 질 테니

약 1년쯤 전 나는 새로 공황을 치료하는 사람으로 돌아간 것처럼 치료를 시작했다. 마침 구청에서 카드를 발급받으면 심리상담 비용을 지원받을 수 있다는 말을 듣고 카드를 발급받아 심리상담을 시작했다. 그동안 다니던 병원의 원장님도 꽤 친절하게 이야기를 들어주시는 편이었지만, 좀 더 약을 조절하면서 끊어갈 수 있도록 권유하는 병원으로 옮겼다. 운이 좋게도 금방 새로운 회사에 합격했다. 다시 지하철을 타고 출퇴근을 한다는 생각에 괴로웠지만, 상담 선생님도, 병원의 의사 선생님도 한번 도전해 보라며 용기를 불어넣어 주었다. 여전히 아침, 저녁으로 약을 먹는데도 예기불안이 심한 나는 필요시 약을 추가로 한 두 봉지 정도 먹어야 하는 신세지만, 정말 증상이 심하던 때는 위험한 걸 알면서도 필요시 먹는 약을 하루에 여섯 봉지씩 먹던 때도 있었으니 이만하면 장족의 발전을 이룬 거라고 볼 수 있겠다. 평일엔 그동안 공황을 핑계로 못 했던 것들을 하나하나 하기 시작했다. 집에서 멀리 떨어져 있어서 고작 밤늦게 길을 걷기가 무섭다는 이유로 포기했던 운동을, 집에서 가까운 시설에서 다시 시작했다. 밤늦게 지하철을 타면 왠지 더 스산하고 지하철의 소음이 잘 꽂히는 것 같아, 포기했던 일본어 학원을 다시 다니기 시작했다. 약 반쪽이라도 먹고 들어가야 했던 회의를 준비할 때는 차라리 회의 자료를 한 움큼씩 출력하고, 공부하며 '오버한다'는 소리를 듣더라도, 약 없이 회의와 발표, 모르는 사람을 만날 때의 두근거림을 견뎌보려 애썼다.

한편으론 또 이전의 회사에서처럼 무례한 말들로 상처를 받지 않을까 걱정했지만, 상담 선생님은 그때의 나와 지금의 나를 동일시하지 말라고 말했다. 사람에게 공격받는 것이 힘들다면, 무례한 말을 들었을 때 받아칠 나만의 무기를 몇 개 만들어서 갖고 있자고 말했다. 그렇게, 머뭇거리며, 내가 떠올린 말이 "그렇게 말씀하시면 속이 좀 시원하세요…?"라는 말이었다. 누군가에게 너무 예쁨받으려 애쓰지 말라는 말도 해주었다. 남에게도 나를 미워할 자유를 주고, 나 역시도 남을 미워할 자유를 찾아보려 했다.

그래서 그렇게 지내보니 잘 살아가고 있는가 하면 실은 잘 모르겠다. 어떤 때는 아무렇지 않게 차를 타고 (약의 힘을 빌리긴 하지만) 한두 시간 정도 거리의 친척 집에 다녀오기도 하고, 회사 회의 정도는 아무렇지 않게 넘길 때도 있지만 또 낯선 공간에 가는 길엔 아무리 약을 먹어도 두근거림과 불안이 가라앉지 않아 제발, 진정해. 같은 말들을 노트에 적으며 버티는 날도 있었다. 긍정적인 것은 그런 일을 겪었다고 해서, 전처럼 좌절하거나 바로바로 무너지진 않는다. 어쨌든 나는 그 순간을 죽지 않고 버텨냈고 숨이 차더라도 결국엔 아무 일도 일어나지 않았다. 매일매일 죽음의 공포를 느끼지만 버티면 어떻게든 살아는 진다. 굳이 굳이 나의 불안의 역사를 찾아 이렇게 글을 남기는 행위 역시도 어쨌든 살아보고자 하는 나의 의지다. 누군가 이 글을 보고 "그래서 뭐 어쩌라는 거야?" 같은 감정을 느낄지도 모르겠다. 공황을 겪으며 가장 위안이 됐던 것은 의외로 주변에 공황으로 고통 받는 사람들이 많다는 사실이었다. 당신은 어떻게 치유를 하고 있나요? 나는 요즘 상담을 멈추고 약물치료를 하면서 이렇게 글쓰기나 취미생활을 하면서 버텨요, 라고 말 하고 싶었다. 세상에 나만 이렇게 사는 건 아니구나, 하는 작은 위안 정도 되면 좋을 것 같다는 생각이다. 그렇다고 내가 대단한 사람인 것도 아니지만. 여전히 지금의 직장에서도 무례한 사람은 있고, "그렇게 말씀하시면 속이 좀 시원하세요?"는 여전히 한 번도 시도해 보지 못했다. 다음 글을 쓰게 된다면 그땐 사회성 없는 직장인의 직장생활 일기 같은 것을 써볼 참이다. 기왕이면, 불안은 이제 정말 어쩌다 한번 겪고 있어요, 같은 말이 곁들여져 있는 글이었으면 좋겠다. 그때까지도 나는 여전히 어리숙한 사회생활을 하고 있을것 같고 남들에게 싫은 소리 한번 제대로 못 해서 쩔쩔매고 있을 것만 같지만, 종종 찾아오는 "또 불안하면 어쩌지?" 같은 생각에 벌벌 떨며 잠 못드는 날들도 여전히 있을 것 같지만, 그래도 어쨌든, 살아는 질테니.

더 멀리 나아가기 위해

김단단

김단단   김단단은 사람의 마음을 헤아려 원하는 것을 줬을 때 큰 기쁨을 느낀다. 다소 꼰대스러운 경향이 있으나 이 마음만큼은 순수해 책을 쓰게 되었다. 김단단은 이 글을 마무리한 뒤 복근을 만들기 위해 크런치를 하거나 돈을 벌기 위해 이른 시간 일어나는 일상으로 돌아가게 될 것이다. 그래도 이 짧은 글이 어디선가 별개로 살아 숨 쉬며 누군가에게 도움이 되길 바란다.

열정, 욕심 그리고 무기력

디자인을 전공하였지만, 썩 디자인을 좋아하는 학생은 아니었다. 무수히 많이 쌓은 레퍼런스를 내재화하여 창의적인 무언가를 만들어내는 데 어려움이 많았었다. 두려움이 많았다는 게 더 정답일 것 같다. 채점하듯 정답이 있는 게 아니라 그날의 감정, 기분에 따라 평가가 달라지니까. 늦깎이로 미술을 시작할 수 있을 때만 해도 행복했던 것 같다. 지루하고 답답했던 수능 공부보다 잘하는 것이 있어 즐거웠다. 덕분에 대학에 무사히 진학할 수 있었다. 그러나 1, 2학년까지 같은 학부 동기들에 비해 과제의 결과물이 좋지 않다. 이상하게도 들인 시간에 비해 결과가 좋지 않았다. 자신감은 점점 잃어가고 내 디자인에 대해 확신은 줄어갔다. 엉덩이가 무거운 것보다 센스가 좋은 것이 몇 배는 더 좋은 치트 키라는 것을 알았다. 누구보다 많은 시간을 학교에서 보내고 있어 성실해 보였지만 그때의 나를 돌이켜보면 좋은 학생이 되고 싶어 어깨에 힘이 잔뜩 든 요령이 없는 학생이었다. 그러한 성실함이 태도가 되고 인연이 되어 한 작은 회사에서 인턴을 할 수 있었다. 여전히 센스와 요령이 부족해 잔업에 허덕였다. 그러나 막연했던 디자인이 조금은 친근해졌다. 내가 무엇이 부족하고 어려워하는지 알 수 있었다. 또한 내 디자인이 상업화되는 과정을 보며 크게 성장할 수 있었다. 그렇기에 내가 더 멀리 나아갈 수 없는 영역이라는 확신을 가질 수 있었다. 더 개발하고 싶은 능력이 아니었다. 그 뒤로 졸업 전시까지 미련 없이 최선을 다했기에 그러한 확신이 들었을 때 뒤도 돌아보지 않을 수 있었다. 시간과 노력을 들이기 전에 내 길이 아니라는 것을 알았다면 좋았겠지만, 그런 선견지명은 지금까지도 잘 없는 것 같다. 그 이후 관심을 가지게 된 일은 사람의 심리를 파악하고 무엇을 원하는지 분석하는 일이었다.

　나는 어렸을 때부터 다른 사람의 눈치를 곧잘 보던 아이였다. 상대의 표정이 조금만 미묘하게 변해도 왜 그런지 물어보곤 했다. 태어난 성격 자체가 그런 것도 있지만, 어린 시절 갔었던 미국에서 난생처음 누군가의 집에 얹혀살며 강화된 것 같다. 그 뒤로 나는 내가 노력을 기울이지 않아도 타인의 기분이나 태도가 내 안으로 입력되었다. 이 과정이 모두에게 자연스럽지 않다는 것을 알게 된 것은 사실 얼마 되지 않았다. 이러한 성격이 나에게 도움이 될지 몰랐었다. 평생 나보다 타인이 내 안에 가득한 삶은 썩 유쾌하지 못하다. 그런데 내가 새롭게 배우고자 하는 일에는 무엇보다 중요한 역량이 되었다. 사람을 관찰하고 당사자도 모르는 행동의 원인을 찾아내는 일은 꽤 적성에 맞는 일이었다. 학교 동기들은 졸업하고 어찌 됐든 돈을 버는 일을 시작했다.

하나둘씩 새로운 직장에 적응하고 잘 맞지 않은 정장에 꽤 어른스러운 척할 무렵이었다. 반면 나는 새로운 길을 개척하기 위해 왕복 4시간을 매일 투자하며 연구실을 다니고 있었다. 나를 소개할 마땅한 소속도 없고 정기적인 수입도 없는 시기였다. 그런데도 그때의 나는 그 무엇도 두렵지 않았다. 왜 사람들은 이렇게 생각하고 행동할까를 여러 가지 데이터를 통해 알아냈을 때, 거대한 퍼즐을 끝끝내 맞춰내는 기쁨을 느끼곤 했다. 그 기쁨에 취해 하루하루가 너무 뿌듯했다. 내가 얻을 결과보다 과정이 즐거워 매사 힘을 주지 않았다. 남이 나를 어떻게 보는지는 중요하지 않았다. 즐거운 일을 하는 나 자신이 그 누구보다 멋져 보였기 때문이다. 이 즐거움 하나로 나는 관련 대학원을 진학하는 결정을 내릴 수 있었다. 몇몇 주변인들이 걱정스러운 눈빛을 보내왔지만 무시하였다. 겁이 많아 매사 신중한 나였지만 이상하게 이러한 큰 결정은 확신에 가득 차 내렸다.

대학원은 생각 이상의 경험을 할 수 있었다. 대학원이라는 곳은 오롯이 내가 선택했다는 이유로 물질적 보상 없이 많은 것을 투자해야만 했다. 시간, 건강, 노력 모든 것을 바쳐야 만 한주 버틸 수 있었다. 나는 생전 겪어보지 않은 많은 어려운 상황에 놓이며, 내가 한계까지 부딪혔을 때 어떠한 사람이 되는지 알 수 있었다. 마치 욕구가 거세된 사람처럼 연구실 일 이외에는 무언가 다른 일을 한다는 것은 암묵적으로 죄악시되어 왔다. 지금에 와선 누구보다 그 체계가 이상하다는 것을 알고 있지만 그 집단 안에서는 알아채기 어렵다. 그곳은 또 다른 하나의 세계이다. 게다가 물질적 보상이 없다면 정신적 보상이라도 있어야 할 텐데 그 또한 쉽지 않다. 초반에는 나라는 사람 자체가 물질적 보상에는 큰 흥미를 느끼지 않는 사람이어서 버틸만했었다. 그러나 정신적 보상은 다른 문제였다. 모두가 혀를 차던 대학원에 내가 즐겁다는 이유 하나로 진학했는데 그 과정을 즐길 수 없다는 생각이 어느 순간부터 들었다. 하나둘씩 포기한 사람들이 나타났다. 나는 이미 포기하고 돌아가기엔 너무 많은 것을 투자한 상태였다. 그리고 다시 정신을 차렸을 땐 나는 어느새 물질적인 보상에 집착하고 있었다. 시작할 때 나에게 있었던 열정과 반짝거림은 없었다.

그저 내가 투자한 만큼의 보상을 얻을 수 있는 회사에 취직하는 것이 내 대학원 생활 마지막의 목표가 되어버렸다. 참 재미없는 목표였다. 나의 선배들도 그랬고 동기들도 그랬으니 그 목표가 타당해 보였다. 나 역시 손쉽게 당연히 얻을 수 있는 결과물 같았다. 그 무렵이었던 것 같다. 다시 어깨에 힘이 들어가기 시작했던 것은. 내가 원하는 이상적인 결과가 있으니 자꾸만 집착하게 되었다. 좋은 회사에 가지 못한다는 시나리오 따위는 생각해 본 적이 없었다. 혹여나 이상적인 결과를 얻지 못한 '나'는 실패한 사람이었다. 단순하게 생각하면 원하는 결과가 있고 달성하기 위해 노력하면 되는 것 아닌가 생각할 수 있다. 그러나 웃기게도 그 결과가 과하게 이상적이면 작은 시도조차 시작할 엄두가 나지 않게 된다. 맹수 앞에 잔뜩 겁먹은 토끼처럼 움츠러들게 된다. 너무나도 이상하지 않은가? 사람의 심리를 그렇게나 공부해 놓고도 합리적인 선택을 하지 못하는 나 자신을 이해하지 못했다. 멋지고 으리으리한 회사에 들어가 으스대는 것이 내 목표가 되어버렸다. 내 목표가 나의 족쇄가 되어 하루하루 무의미하게 만든다는 것을 그때의 나는 알지 못했다. 그 생각에서 어떻게 벗어날 수 있는지 방법을 알지 못했다. 몇 번의 탈락이라는 고배를 마시고 위축되어 갔고, 가장 원하던 회사의 최종에서 탈락하자 세상이 무너져 내렸다. 침대에 누워 밥도 먹지 않고 하루를 보내버렸다. 그런 하루들이 쌓여 오늘이 월요일인지 금요일인지도 셀 수 없게 만들었다. 그렇게 열정적이던 내가 무기력해지기까지 그렇게 긴 시간이 들지 않았다. 이후 무엇이라도 시작하자는 마음에 들어간 회사도 단 하루 만에 뛰쳐나오고 말았다. 내가 원하는 결과가 아니니 무엇에도 애착이 가지 않았다. 대학원까지 들어가 놓고 쉽게 취업하지 못하는 나의 모습을 그 누구에게도 들키고 싶지 않았다. 그렇다고 멋지지 않은 회사에 어설프게 들어가 웃음거리가 되고 싶지 않았다. 아무도 그렇게 생각하지 않을 텐데도 말이다. 시간이 흘러가 마음이 조급해졌다. 회사에서 내가 원하는 일을 즐기면서 하는 모습보다는 흔히 다들 우러러보는 대기업에 들어간 나의 모습을 꿈속에서 보곤 했다. 회사를 어떤 기준으로 선택해야 하는지 잃어버리고 말았다. 그 꿈속에서 허우적거릴 동안 나의 경력은 시간만 흘러 낡아가고 있었다. 이성적인 의사결정을 할 수 없을 만큼 몰렸을 무렵, 가장 연봉을 후하게 제안했던 회사에 도망치듯 들어갔다. 연봉이라는 정량화된 수치로 결정을 내렸으니 나름 이상적이라고 위로하면서 말이다. 남들이 좋고 괜찮다고 하니 이정도면 괜찮은 결과겠지 하고 받아들였다. 거기서 무슨 일을 하고 내가 성장할 것인지 고민하지 않았다. 그렇게 나의 정식적인 직장 생활은 시작되었다.

첫 직장에서 나는 꽹장히 오만했다. 내가 하는 일은 그 당시 시장에서 크게 주목받던 직무로, 전통적인 대기업에서 이 직무의 경력자를 간절하게 원하고 있었다. 혹은 지금 생각해 보면 위에서 내려온 결정에 의해 무늬만 필요했을지도 모른다. 그만큼 회사 내부에는 나의 일을 명확하게 알고 공감해 주는 이가 하나도 없었다. 그러나 직장 생활이 전무했던 나는 이 환경이 얼마나 나를 힘들게 할지 알지 못했다. 내가 열심히만 하면 누구나 설득할 수 있을 것 같았다. 나와 비슷한 관심사와 노력을 기울이던 사람들만 가득했던 대학원에서 떠나, 완전한 타인에게 나의 직무를 중요하다 어필하는 것은 너무나 어려운 일이었다. 마치 언어가 달라 대화가 되지 않는 외국에 떨어져 적응하는 것만 같았다. 내가 어떤 포지션으로 무슨 일을 해야 할지 감이 오지 않았다. 대규모의 투자가 들어간 프로젝트에서는 나의 능력이 필요하지 않아 보였다. 오죽하면 모두가 있는 회식 자리에서 펑펑 울었을까. 지금 생각해 보면 너무 수치스럽고 우스운 일이다. 그 뒤로 정신을 차려 간신히 나라는 사람을 프로젝트에 끼워 넣는 데는 성공하였으나 그 과정에서 자신감이 많이 떨어졌다. 내가 대학원까지 가며 원하던 업무가 아니었다. 현실에 실망하여 물질적인 보상으로 도망친 벌을 받는 것 같았다. 얼른 좋은 결과를 내어 인정받아야 하고 대학원에 투자한 시간과 돈에 대한 보상을 받아야만 한다는 생각은 심해져 갔다. 하지만 내가 원하는 것들은 점점 더 멀어지는 것만 같다. 나보다 더 좋은 연봉에 취업한 동기들도 생겨나 버렸다. 내 일에 대한 확신은 줄어들고 물질적 보상도 최고의 조건이 아니라는 생각은 하루하루를 또다시 무기력하게 만들었다. 나는 그렇게 1년간 매일 출근했던 회사에서 또다시 도망쳤다. 이렇게 열정, 욕심 그리고 무기력은 종이 한 장 차이와 같다.

힘을 빼기 위해

짧지만, 깊은 상처를 남겼던 나의 첫 회사를 뒤로하고 무엇을 할지 고민이 들었다. 실패를 경험했으니 다시는 똑같은 반복을 하지 않은 선택을 해야 한다는 강박이 들었다. 물질적인 보상이 아닌 나만의 즐거움을 다시 찾아야만 할 것 같았다. 그러다 시각을 넓히기 위해 새로운 운동을 시작하게 되었다. 그만둔 지 5개월 차에 수영을 시작하였다. 수많은 운동 중에 수영을 선택하게 된 것은 단순했다. 물에 뜨지 못해 값비싼 호캉스에서 무의미하게 수영장 바닥을 걸어 다녔던 것이 계기였다. 그러나 사실은 퇴직 후 마음처럼 되지 않는 현실을 부정할 수 있는 적당히 멋있어 보이는 취미를 갖고 싶었다.

수도권에서 수영을 배울 수 있는 선택지는 그리 많지 않은데, 수개월의 지원 끝에 시립운동장에서 저렴한 가격에 입문하였다. 어렸을 적 입었던 낡은 수영복과 수모 그리고 수경을 쓰고 쭈뼛하게 서 있는 겨울의 수영장은 생각보다 따뜻하였다. 크게 울리는 물장구 소리에 가슴이 뛰었다. 화려한 수영복 사이로 나와 비슷한 검은 수영복 차림으로 무리 짓지 못한 사람들이 보였다. 같은 입문반 학생들임을 대번 알아

챌 수 있었다. 아이와 함께 수영을 하고 싶어서 등록한 아주머니, 관절이 아파 다른 운동을 하지 못하는 할머니 등 각기 다른 소소한 이유로 이 이른 시간에 수영장에 모여있었다. 각박하게 출퇴근을 반복하던 내가 이 시간에 여기 서 있다는 것이 어색했다. 마치 다른 세계에 떨어진 것만 같았다. 그리고 사람을 이해하는 직업을 가진 내가 얼마나 작은 세계관을 가졌는지 느낄 수 있었다. 강사의 지시 아래 간단한 체조 후 발끝부터 물에 몸을 담갔다. 물은 생각보다 따뜻했다. 락스냄새조차 나지 않았다. 어렸을 적 배웠던 수영은 코를 찌르는 락스 냄새와 오들오들 떨게 하는 추위였는데 많은 것이 바뀌어 있었다. 덕분의 처음이라는 두려움이 조금 사라지는 기분이 들었다. 이 수업이 끝날 무렵에는 저 푸른 물살을 가르며 반대편 끝을 찍고 올 수 있을 것만 같았다. 물론 물이 무섭지 않게 되는 것은 이로부터 한참 뒤의 일이다. 우스운 말로는 수영장에 가득 채워진 물을 절반쯤 코로 먹고 나서인 것 같다.

보통 수영의 시작은 발차기라 생각하는 사람이 많을 것이다. 가장 처음 알려주는 동작이기도 하고 수영의 근본적인 동력이니 말이다. 그러나 내게 가장 인상 깊었던 동작은 '물속에서 숨쉬기'였다. 처음 강사가 숨 쉬는 법을 알려주었을 땐 놀라웠다.

'물에서 숨을 쉰다니?'

바로 옆에서 강사가 설명했음에도 의문이 들며 설렜다. 마치 십몇 년 전으로 돌아가 모든 것이 새로웠던 청소년기가 된 것만 같았다. 단순히 숨을 쉬는 타이밍을 알려주었다면 그리 놀랍지 않았을 것이다. 하지만 그는 물 밖에서 들이마시고 물속에서 내쉬는 방법을 알려주었다. 초보인 우리들은 당연히 물속에서 숨을 쉴 수 없을 것으로 생각하고 물속에서 숨을 참았다. 그렇게 숨을 쉬기 위해 얼굴이 수면 위로 올라오는 것에 집착하게 되었다. 그 집착은 머리를 과하게 들어 올리게 하였고 목부터 시작하여 전신에 힘을 주게 하였다. 멀리서 본다면 통나무 여러 개가 물장구를 일으키며 천천히 전진하는 것처럼 보였을 것이다. 점차 짧아지는 숨으로 파랗던 물은 한없이 시커멓고 깊어져만 갔다. 결국 무서워 스스로 익숙한 두 다리로 수영장 바닥을 딛고 일어서 버린다. 수영장에는 수준별로 레일을 나누어 사용하는데 이렇게 중간에 우뚝 서는 사람들은 초보 레일에서 쉽게 볼 수 있다. 오죽하면 강사들은 중간에 서버리는 것을 방지하기 위해 레일 중간에 서서 감독하곤 했다. 왜냐하면 순차적으로 사람들이 출발하는 수영 종목의 특성상 한 사람이 일어서게 되면 무섭게 줄줄이 일어서는 광경이 펼쳐진다. 저 사람도 일어났으니 나도 일어나도 된다고 안심하며 보통 일어서게 된다. 그렇게 되면 마치 올림픽대로의 정체 구간처럼 전체적인 속도가 줄어들게 된다. 아마 물 밖에서 전체를 조망할 수 있는 강사 입장에선 이 정체 구간을 풀어야만 하는 숙제였을 것이다. 레일 중간에서 일어서 버리는 것은 적어도 내 생각엔 '쉼'이 아니라 '도망'에 가깝다. 도무지 숨을 집착하지 않는 방법을 파훼하지 못하니 그 상황으로부터 도망쳐 버리는 것이다. 일어난 순간엔 숨을 쉴 수 있으니, 자유를 느끼다가도 한참 남은 거리를 보며 후회하게 된다. 혹은 거리가 얼마 남지 않았을 때는 더 큰 후회를 한다. 조금만 더 가면 한 번에 도달하는 거였구나 하고 말이다. 더 무서운 것은 내가 숨에 집착해서 멀리 가지 못한다는 것을 아는 것조차 오래 걸린다는 것이다. 단순하게 내가 체력이 부족해서 그렇구나 하고 만다. 그러나 체력이라고 하기엔 젊은 사람, 나이 든 사람 가리지 않고 동일한 구간에서 일어나니 마음가짐의 차이라는 것을 알게 되었다. 운동 꽤 익숙해 보이는 건장한 청년보다 나이가 지긋이 드신 할머니가 수영장을 몇 바퀴나 더 도는 모습도 쉽게 볼 수 있다.

숨에 집착하지 않으려면, 그러니까 물에서도 숨을 쉴 방법은 생각보다 간단하다. 수영 자체를 별거 아니라고 생각하는 것이다. 잘 해내려는 마음을 내려놓는 것이다. 25m 짧은 레일 시작 시점에 출발하기 위해 서 있을 때, 저 멀리 끝에 어떻게 도착할지 걱정할 필요가 없다. 내가 오롯이 집중해야 하는 것은 여태까지 배운 발차기, 팔 돌리기, 숨쉬기를 동일한 템포로 진행하는 것이다. 그냥 순서대로 배운 것을 해내는 것이다. 그 과정이 의식하지 않아도 자연스럽게 될 무렵엔 나를 간지럽게 지나가는 물살과 물속의 고요함을 즐기면 되는 것이다. 그러다 보면 무서웠던 물은 그저 따뜻하고 때론 시원하게 나를 감싸줄 뿐이다. 그 작은 즐거움을 알게 되면 목표 지점까지 얼마나 남았는지 생각이 들지 않게 된다. 멀리 또 빠르게 나아가야 한다는 강박에서 벗어날 수 있다. 내 뒤에 누군가 쫓아와 조급해지는 마음도 신경 쓰지 않을 수 있다. 그저 반복되는 나의 수영 그 자체가 즐거움이 된다. 그러다 보면 어느새 끝에 도착해 있다. 헉헉대지 않고 여유롭게 다음 여정을 살펴볼 수 있다. 그리곤 잔잔한 즐거움을 다시 맛보기 위해 숨을 다시 가다듬고 다시 레일 앞에 설 수 있다.

대충, 빨리, 잘

　더 멀리 나아가기 위해서는 몸에 힘을 빼야 한다는 것을. 그리고 몸에 힘을 뺀다는 것은 결과가 아닌 과정을 즐겨야만 할 수 있다는 것을. 나 역시 말은 쉽게 했지만, 생각보다 몸에 힘을 빼고 과정을 즐기는 것은 쉬운 일이 아니다. 책을 아무리 읽어도 내 것으로 만들기 위해서 실천이 필요하듯 마찬가지로 일상의 노력이 필요하다. 내가 일을 할 때 몸에 힘을 빼기 위해 마음속에 되새기는 말은 '대충, 빨리, 잘'이다. 대학원 무렵 언젠가 지인이 인터넷에서 소위 말하는 '짤'을 보고 내게 알려주었던 것 같다. '대충, 빨리, 잘'은 일을 할 때 마음가짐의 순서와도 같은 것이다. 첫 번째 일을 시작할 때는 '대충' 큰 가닥을 잡고 무언가 써 내려가는 것이다. 그 내용은 구멍이 숭숭 뚫려도 괜찮고 논리가 빈약해도 좋다. 어찌 됐든 마음속으로 그리기만 했던 결과가 눈으로 보이는 존재로 만드는 데 의의가 있다. 여러 가지 방향성을 고민해 보며 선택할 수 있는 단계이다. 왜냐하면 정말 '대충'하는 단계이니까. 그다음인 '빨리'는 첫 번째 단계의 어설픈 곳들을 빠르게 메워 나가는 단계이다. 이 단계에서는 물론 '대충'보다는 정밀함과 깊이가 올라가겠지만 거기에 집착하지 않아야 한다. 핵심은 '빨리' 빈 곳을 채워 나가는 데 있다. 마지막 단계인 '잘'은 말 그대로 잘 마무리하는 것이다. 결과물을 매끄럽고 단단하게 만들어 가며 다듬을 수 있다. 이 3단계를 지나오다 보면 머릿속으로 막연하게 그려지던 멋진 결과물은 어느새 실체화되어 눈앞에 있을 것이다. 만약에 이 단계를 뒤죽박죽 바꿔서 한다면 어떻게 될까? 멋진 결과물을 만들고 싶으니 글 한 자 적어 내려가는 것도 '잘'하고 싶을 것이다. 결국 시간은 시간대로 흘러가지만, 결과물은 정말 한 글자일 수도 있다. 마감일은 무섭게 쫓아올 것이고 결국 '빨리', '대충' 일을 마무리하게 될 것이다. 게으른 완벽주의자로서 나는 '대충, 빨리, 잘'을 듣고 뜨끔할 수밖에 없었다. 오히려 너무 잘하고 싶은 일을 마감 기한에 쫓겨 대충 마무리한 경험이 너무 많았기 때문이다. 그때마다 들었던 생각은 '10분만 더 있었다면', '하루만 더 있었다면' 등 아쉬움이었다. 하지만 과연 과거로 돌아간다고 바뀌는 것이 있을까? 지금과 같은 마음가짐이라면 달라지는 것은 없을 것이다.

이후 다시 시작한 직장 생활은 여전히 내가 원하는 만큼의 멋진 결과물도 만들어 낼 수 없고 그 과정은 여전히 스트레스다. 그러나 조금은 더 오래 견디고 버틸 수 있었던 것은 '대충, 빨리, 잘' 덕분이었다. 이 마음가짐으로 조금은 나의 욕심으로부터 무던해질 수 있었다. 잘 해내고 싶은 나의 욕심도 정면으로 마주하였다. 그렇기 때문에 이 스트레스가 온다는 것도 감사할 수 있었다. 내가 이번에 해내지 못했더라도 '대충'이라도 시작해 두었다면 다시 고치고 수정할 기회는 얼마든지 있을 수 있다. 지금 당장 멋진 결과물을 얻어내고 싶어 이 일을 하는 게 아니기 때문에 매일 반복되는 하루가 무의미하지 않았다. 보잘것없어도 오늘 조금 무언가 해놓는다면 그것들이 쌓여 어떤 형태로든 나에게 긍정적으로 돌아올 수 있겠지하고 믿고 있다.

인간관계도 마찬가지다.

힘을 빼기 어려운 인간관계도 너무나 많다. 나에게 관계란 이미 힘을 잔뜩 줘야 하는 일이기에 무의식적으로 사람을 많이 만나는 것을 꺼려왔다. 그런데도 20대의 의무감이라 생각해 학교, 동아리, 회사 등 집단 안에 속하기 위해 무던히 노력하였다. 나와 다른 생각을 하는 사람들을 알아가는 것은 즐거웠지만 유지하는데 너무 많은 에너지를 쏟았다. 착하게 굴고 상대에게 잘해준다면 당연히 상대도 알아줄 것이라는 다소 순진한 마음이었다. 그러나 이러한 마음은 나 자신을 힘들게 만들었다. 대학 생활에 몇 번 있었던 연애 또는 친구 사이에서 서운함을 느끼고 헤어질 수밖에 없었을 때, 어린 마음에 상대를 탓했다. 나를 떠났다면 나를 떠났기에 비난했고, 내가 떠났다면 내가 떠날 수밖에 없게 행동한 것을 비난했다. 비난하고 나면 나는 피해자로 주변인들에게 위로받을 수 있었다. 하지만 그 위로 뒤에는 무언가로도 채워지지 않는 공허함이 오고는 했다. 주변에 사람도 많지 않았기 때문에 소수에 사람에게 마음을 많이 줬었다. 그런 이를 떠나보내야 하는 것은 상대를 비난하므로 이겨낼 수 있는 단순한 일이 아니었다. 상대를 비난하는 것으로는 공허라는 고통에서 벗어날 수 없으니 나 자신을 비난하는 것으로 화살을 돌렸다. '내가 그때 이랬으면 상대가 안 그랬을 텐데' 또는 '조금만 더 참았다면 싸우지 않았을 텐데'라는 돌아오지 않는 메아리처럼 무의미한 생각을 반복했다.

최근 긴 연애를 마무리하며 생전 느껴보지 않은 감정을 경험하였다. 서로에게 여러모로 깊은 의미를 지난 관계였기 때문에 끝날 것이라는 예상을 못 했다. 그래서 더 이별을 감내하기 어려웠다. 그러나 타인이 본다면 우리의 관계는 이별까지 몇 개월 전부터 이미 사그라드는 관계였다. 뜨겁지 않고 잔잔하게 작은 불꽃으로 사그라드는 것이 아니라, 심지는 까맣게 타들고 재 덩이가 촛농 웅덩이에 떨어지고 있었다. 나는 또다시 어렸을 때처럼 생각했다. 나 또는 상대가 노력하지 않았기 때문에 그렇게 된 것이고 다시 노력한다면 일으켜 세울 수 있다고. 혹은 각자의 삶이 너무 바빠 잠시 그런 것으로 생각했다. 그래서 놓지를 못했다. 내 모습을 상대가 원하는 대로 더 맞춰준다면 관계가 유지될 것 같았다. 참 이렇게 비합리적인 사고가 어디 있을까? 사람들은 천 원짜리 한 장도 손해 보는 것을 아까워하면서 자신의 마음이 갉아먹히고 있다는 것은 아까워하지 못한다. 내 곁을 떠나려는 사람을 붙잡는 것과 보내는 것의 이득을 양팔 저울에 올려본다면 명백히 한쪽으로 기울어질 텐데 말이다. 주변인의 일이라면 객관적으로 손절을 외칠 수 있다. 하지만 내 일이 된다면 이성적인 판단은 마비되고 만다. 이미 끝나버린 관계에 역으로 힘을 뺀다는 것은 굉장히 고역이다. 상대는 내 옆에 없는데도 상상 속 그 사람을 보내야 하기 때문이다. 그때의 나는 무척이나 한심해 보이기도 하고 불쌍해 보이기도 한다. 누구에게 말하지도 못하고 다 이겨낸 것처럼 행동해야 하는 일이 어렸을 때보다 많아졌다. 비참함이 몇 번 들고 나서야 나는 지나버린 관계에 집착을 하나둘 내려놓았다. 내 인생을 상대와 함께 멀리 갈 수 있을 것 같았는데, 당장 하루하루도 잘 지내지 못했다는 것을 인정하였다. 돌아오지 않는 메아리 같은 질문을 하지 않기로 결심했다. 여기까지 오기 너무 오랜 시간이 걸렸지만 말이다.

인간관계를 오래 유지하기 위해선 힘을 빼야 하지만, 마음먹기 쉽지 않다. 막상 그 상황에 놓이게 되면 마음속은 새하얀 백지가 되고 곧이어 내 욕심으로 가득 차게 된다. 나중에야 알게 된 것은 상대에게 잘해주는 만큼 역으로 바라는 것이 많아졌고, 그 사람에게 투영하는 과정을 반복했다는 것이다. 내가 상대에게 잘해주는 것은 내 즐거움에서 끝났어야 했다. 그 사람이 내 욕심을 받아낼 수 있는 그릇이 되는지 역량이 있는지는 판단하지 않았다. 관계는 집착이 되어버렸다. 힘을 빼야 인간관계는 가벼워지고, 무거운 족쇄를 지니지 않은 관계는 서로에게 편함을 제공하여 더 오래가게 된다. 이 사실을 깨달았을 때 나는 이러한 궁금증이 생겼다. 만약 힘을 뺐는데도 불구하고 상대와 너무 맞지 않아 맞춰가는 노력이 과하게 든다면 어떻게 해야 하는 것일까? 그것은 내 예상하건대 놓아야 하는 관계라고 본다. 힘을 빼는 것도 내가 감당할 수 있는 관계에 한하여 가능한 일이다. 내가 감당할 수 없는 사람을 꼭 쥐고 있으면 돌아오는 것은 서로에게 질려버린 마음뿐이다. 얼마나 안타까운가. 뜨거운 불을 다루듯 멀리서만 지켜봤다면 아름다울 수 있었는데 굳이 가까이 다가가 온몸을 태워버린다.

가끔 내가 감당할 수 없는 것을 알고 있음에도 더 갈망하게 되는 사람이 있다. 처음엔 경계할 수 있지만 깊게 빠져버린다면 쉽게 헤어 나올 수 없게 된다. 중독된 것처럼 말이다. 강렬하기 때문에 이 관계가 정답처럼 느껴질 수 있다. 예를 들어 좋아하는 마음이 너무 커 잠을 이루지 못하고 일상에 지장을 주는 사람이 있다고 하자. 그 사람을 내 곁에 둘 수 있다면 나는 모두 바꿀 수 있을 것만 같다. 그러나 안타깝게도 상대를 위해 나를 기준도 없이 바꾸기 시작했다면, 이미 서로는 서로에게 호감을 느꼈던 그 시절로 돌아가기 매우 어려워진다. 나를 너무 바꿔야 하는 관계는 내가 견딜 수 없는 사람이라는 뜻이다. 게다가 그렇게 해서 잘 맞춰진다면 다행이지만 사람은 내가 노력한 만큼 돌려받고 싶어 한다. 내가 이만큼 맞추기 위해 바꿨으니, 상대에게도 바랄 수밖에 없다. 상대는 얼마큼 나에게 줄 생각이었는지 알 수 없으니, 나의 기대는 그에게 부담이 되어버린다. 이 또한 관계의 끝으로 이어지고 만다. 그러니 부디 감당할 수 있는 사람을 주변에 두고 그 사람들과 힘을 빼고 자연스러운 관계를 추구하길 바란다. 그런 사람으로 인생을 가득 채워도, 자극 없는 잔잔한 삶을 살아도 괜찮다고 말하고 싶다.

누군가 말했다. 인간관계는 모래와도 같은 것이라고. 너무 간절하게 가지고 싶어 꼭 쥐게 되면 주먹 틈새로 흘러내려 버리게 된다. 남아 있는 모래마저도 내가 원했던 그 모래 모양과는 이미 다르다. 반대로 손바닥에 올려두고 가만히 둔다면 모래는 흩어지지 않고 내 손 안에 있게 된다. 만약 지금 내 세상이 인간관계에 과하게 휘둘리고 있다. 생각이 들면 너무 꼭 쥐려 하지 않았으면 좋겠다. 조금 멀리서 관계를 다시 바라보는 연습이 필요하다. 힘을 빼야 관계도 도망가지 않는다. 혹여나 도망가더라도 내 인연이 아니구나 하고 놔줄 수 있게 된다. 겹쳐 이어가던 선 두 개가 서로 만날 수 없는 평행선을 그리게 될 수 있다는 것을 항상 알고 있어야 한다. 그래야 상대와 함께하는 순간에 집중할 수 있고 소중해진다. 영원할 줄 알았던 이 순간이 찰나일 수 있으니까. 당연하지 않을 수 있으니까, 최선을 다할 수 있다. 그리고 평행선으로 다시 만날 일 없어 보였던 인연도 긴 인생에서 다시 만날 수 있다. 그러니 상대가 나를 떠나간다고 할 때, 내가 상대를 떠나야 할 때 너무 모질게 보내지 않았으면 좋겠다. 내가 잠시 빌린 그대라는 사람을 다시 돌려준다고 생각하자. 나중에 다시 만날 일이 온다면 그때 다시 감사하며 즐길 수 있도록 말이다.

마지막으로

인생에 욕심을 내려놓고 힘을 뺀다는 것이 두려웠었다. 도망치는 것처럼 보였기 때문이다. 긴 인생이 내 뜻대로 되지 않으니 회피해 버리는 어른들의 변명 같았다. 그런 어른이 되고 싶지 않았다. 그러나 내가 성인이 되고 느낀 '힘을 빼라'는 내 생각과는 다른 느낌이었다. 오히려 욕심으로부터 자유로워야 나에게 매달려 있던 무게추가 떨어져 나갈 수 있다. 무게추가 없는 몸이 가벼워졌으니, 도전도 그로 인한 실패도 두렵지 않게 된다. 다양한 경험으로 나의 삶을 풍족하게 채울 수 있다는 것이었다. 그럼에도 나는 아마 앞으로 다양한 유혹에 더 많이 욕심을 내게 될 것이다. 내가 가질 수 없는 것일수록 더 그럴 것이다. 그럼에도 그 사실을 인정하고 어깨에 무거운 짐을 내려놓고 싶다. 앞

으로 더 멀리 가고 싶으니 그 여정이 즐거웠으면 좋겠다. 그리고 이 두
서없는 글을 읽게 될 모든 이들도 그러길 바란다.

당연한 것은 없다, 존중이 결여된 사회

박규호

박규호   박규호. MBTI는 INTJ. 알려진 INTJ의 특징처럼 이해가 안 가는 규율을 맹목적으로 따르기 싫어하기 때문에, 규칙이나 시스템을 발견하게 되면 합당한지에 대해서 고민해본다. 규칙과 시스템이 세상을 지탱해주는 요소임을 알고 있으나, 결국 사람이 만들었기 때문에 언제나 불안한 부분이 존재한다고 생각한다. 그리고 해당 규칙의 약점을 고민해보면서 더 안정적인 시스템이 되길 기대해본다.

'이 밤은 짧고 넌 당연하지 않아'

'그건 당연하지 않아?'

우리가 여러 가지 상황에서 핑계로 많이 듣게 되는 문장이다. 전통적으로, 사회 관념적으로 우리는 당연하다는 이유만으로 자연스럽게 넘기는 상황이 한둘이겠는가? 우리가 당연함을 접하게 되는 상황이 언제 있을까? 필자의 경험부터 말하자면, 막내이기에, 집안 서열이 만든 '당연함'에서 불합리함을 처음 느끼게 되었다. 중학생 시절 현실보다 인터넷 세계를 선호했다. 인터넷에서의 시간 약속 역시 현실과 다르지 않다고 생각했다. 그렇기에 온라인 게임 속 지인들과 시간 약속이 그 당시 내게는 현실만큼이나 큰 의미였고 지키고자 했으나 자주 무산되었다. 갑작스러운 가족 모임 때문이었다. 인터넷 속 선약이 있다고 말해도 막내라는 이유로 당연하게 무시당했다. 그럴 때마다 내 의지대로 할 수 없는 막내라는 입장에서 좌절감을 느꼈다.

성인이 되고 이제 그 시절을 이해할 수 있는 성인이 되었다. 그렇지만, 사회에서 여러 가지 상황을 접하게 되고, 암묵적인 이유라든지, 과거부터 이렇게 해왔다는 사실만으로 이유도 알지 못한 상태로 처리되는 일이 한둘이 아님을 알게 되었다. 이런 현상을 지켜보면서, 어린 시절 나의 의견이 받아들여지지 않아 겪었던 분노와 좌절의 감정을 떠올리게 되었고, 어째서 이런 현상이 발생하는지 고민해 보게 되었다.

 # 사전적 의미로서의 '당연함' # 일상속에서의 '당연함'

일단, 가장 간단하고 단순하게 알 수 있는 사전적 의미를 찾아보았다. 우리나라에서 많이 사용되는 검색엔진인 네이버에서 '당연하다'라고 검색했을 때 나오는 사전적 의미는 [형용사] '일의 앞뒤 사정을 놓고 볼 때 마땅히 그러하다.'라고 나온다.[1] '당연'이라는 명사의 파생어로서 유의어로는 '자연스럽다', '지당하다', '타당하다' 등등 우리가 익히 이해할 수 있는 단어로 표현되고 있다. 결국, 해당 사건의 전후 상황을 파악한다면 해당 행위에 대해서 자연스럽게 이해할 수 있다는 사실을 의미한다.

하지만, 우리가 실생활에서도 각 사건들의 전후 상황을 파악하고 '당연하다'라는 표현을 사용하고 있는 걸까? '당연하다'라는 주제를 가지고 이야기를 쓰기 위해 여러 가지 사례를 조사하다 보니, 사전적 의미와는 다르게 사용되고 있었다. 곰곰이 생각해 보면 필자가 경험해

---

1   국립국어원. (nd). 당연하다. 국립국어원 표준국어대사전에서. https://stdict.korean.
    go.kr/search/searchView.do?word_no=414039&searchKeywordTo=3
에서 2023년 10월 25일에 검색함.

온 막내만 힘든 것이 아니었다. 형제자매와 함께 성장해 오는 우리들의 첫째들, 둘째들, 그리고 필자와 같은 막내들 역시 각각 '당연함'에서 겪는 불합리함이 경험하면서 성장한다. 첫째들은 첫째라는 이유로 동생들에게 양보해야 하고, 가족의 대들보로서 실패를 용납받지 못하고, 더 인내해야 하고 강인함을 강요받게 된다. 또한 막내들은 막내라는 이유로 형/언니/누나/오빠들이 쓰던 물건을 물려받아야 하고, 의견을 존중받기 힘들고, 가족 구성원으로서 먼저 서는 게 어렵게 된다. 그리고 세 명 이상의 형제자매일 경우 중간에 낀 둘째들은 첫째와 막내 사이에서, 첫째들이 받는 기대감도, 막내들이 받는 귀여움도 받지 못하고, 어중간한 위치를 떠돌게 된다. 둘째인 사람들이 이상할 정도로 아웃사이더의 성향을 보이는 모습에서 가정환경이 성격에도 영향을 미친다는 사실 역시 과학적으로 증명된 사실이 아니겠지만, 이 글을 읽는 독자들 역시 지인들의 통해 경험에서 이해가 되는 내용일 것이다. 첫째든, 막내든, 둘째든, 사실 각 위치에서 억울한 점도 있고, 각 위치에서 이점도 있겠으나, 이런 가족관계에서도 '당연함'이라는 사회 통념 아래 그들의 대우가 정해지고, 그런 환경 속에서 성장하게 된다는 사실은 어찌 보면 자연스러운 현상일수도 있다.

또 다른 사례로 시집살이가 있다. 결혼한 여성이 남편의 부모나 가족들과 함께 사는 뜻이 있는 단어일 뿐이지만, 현실에서는 속칭 '시월드'라는 단어로 변형되어 사용되었다. 즉, 결혼하게 된 여성이 시댁과의 관계에서 어려움을 겪게 되고 맞춰서 살기 녹록하지 않다는 뜻을 의미이다. 며느리니까 집안일을 다 떠맡게 만들고, 남편이 도와주는 것도 이상하게 보는 과거의 시집살이 문화는 최근 매스컴에서 대책이 필요하다고 연일 외치는 저출산을 만든 간접적인 이유 중 하나라는 사실이라고 생각해도 이상하지 않다. 송유미, 이제상 님의 『저출산의 원인에 관한 연구: 산업사회의 변화와 여성의 사회진출을 중심으로』라는 논문을 보면 저출산의 원인을 가치관 요인, 제도적 요인, 경제적 요인으로 나눠서 설명했다. 이 중 제도적 요인으로 가부장제를 지목하였다. 탈산업 사회에서 여성의 사회진출이 사회적 대세임에도 가정 내에서 남녀 성별분업이 여전하고, 노동시장 또는 기업 내에서 여성 차별 또는 여성의 경력 단절이 만연하다고 말한다. 여성은 현실적이고 이성적인 판단으로 결국 결혼 연기 또는 포기, 출산 축소 또는 포기라는 이기적인 선택을 하게 되고, 사회적으로 저출산으로 귀결될 수밖에 없다고 한다. 그래서 전통적인 가부장제는 결혼과 출산을 저해하는 걸림돌이면서, 여성의 사회진출을 가로막는 장애물이라고 설명했다.[2] 결국, 과거의 어머니들에게 희생을 강요했기에 유지되었던 문화였고, 그걸 보고 자란 아이들은 이제 성인이 되고 결혼할 나이가 되었다. 그리고 본인도 본인의 어머니처럼 살 것이라는 불안감이 쌓이고 쌓여 현재의 시집살이에 대한 불신을 만들어 왔고 저출산의 원인으로 이어진 것이라고 본다. 어째서, 과거 어머니들의 희생을 당연하게 여겼을까?

성인이 되고 사회를 나가도 이 '당연함'이라는 사회적 통념은 우리 곁에서 사라지지 않고 새로운 형태로 나타나게 된다. 예를 들면, 흔히

2　송유미, 이제상, 『저출산의 원인에 관한 연구: 산업사회의 변화와 여성의 사회진출을 중심으로』, 한국보건사회연구원, 2011, p30-p31.

세대 차이를 만드는 나이에서 오는 당연함, 신체적 건강함으로 인해 당연하다고 생각하는 생활로 인해 비장애인들은 생각하지 못할, 장애인의 일상생활에서 오는 불편함. 어찌 보면 당연함은 일종의 편견이라고도 볼 수 있다. 가난과 부유함이 사람의 선악을 결정짓지 않는다는 사실을 머릿속으로는 이해하지만, 부자들의 탈세나 범법행위에서 '내가 쟤네는 저럴 줄 알았지'라고 술집에서 들려오는 큰 소리는 아직 우리의 통념 속에 나쁜 짓을 해야 부자가 되고, 착하게 살아왔기에 가난하다는 언더도그마[3]라는 암묵적인 인식, 편견이 남아있음을 보여주는 현실이라고 생각할 수 있다.

당연함에 대해 필자는 3가지 관점에서 알아볼 예정이다. 우선, 사회적인 관점에서 군중심리에 휩쓸리게 되는 당연함에 대해서 이야기해볼 생각이다. 그리고 인간관계 관점에서 직위가 높다는 이유로 사과하지 않는 당연함과 불신이 가득해진 사회에 대해서도 말해볼 예정이다. 마지막으로, 개인적인 관점에서 귀찮다는 핑계로서의 당연함에 대해서 언급할 예정이다. 내용이 다소 길어지고 복잡할 수도 있으므로, 각 본문의 핵심 키워드를 작성해 두었다. 각각 단어들을 마음속에 기억하면서 잘 따라와 준다면, 독자들 역시 당연함에 대한 새로운 시각을 얻어 갈 수 있을 것으로 기대한다.

---

3   언더도그마: 약자는 무조건 선하고, 강자는 무조건 악하다고 믿는 오류.

'나는 남들과 달라, 이제 너의 말을 해 봐'

자동화 # 팩트체크 # 여론몰이

그렇다면 우리가 어째서 '당연함'을 과거보다 더 자연스럽게 받아들이게 되었을까? 필자는 문명 발전이 가져온 '자동화'에서 그 힌트를 찾을 수 있었다. '자동화'. 영어로는 Automation이라고 표현하고 사전적 의미는 제어 시스템과 다른 정보기술을 조화롭게 사용하여 산업 기계류와 공정을 제어, 사람이 관여할 필요를 줄이는 것이다.[4] 즉, 수작업하던 일을 자동으로 처리해 주는 것을 말한다. 최근 자동화에 혁신적으로 다가오고 있는 분야가 있다. 바로 챗GPT로 대표하는 생성형 AI 분야이다. 지금 쓰고 있는 글 역시 생성형 AI의 도움을 받게 된다면, 더욱 쉽고 간결하게 작성할 수 있고, 어렵게 느껴지던 엑셀 정리 작업이나 PPT 같은 발표 자료 역시 순식간에 제작해 주는 기능을 가진 기술이다. 물론 기술이 발달하더라도, 사람의 뇌에서 만들어지는 창의적인 생각이나 습관, 노하우가 존재하는 한 생성형 AI가 모든 분야를 대신할 순 없겠지만, 시간을 소모하는 단순 작업을 간단하게 처리해 줄 수 있다는 사실만으로도 우리에게 도움이 된다는 사실을 자명한 사실이다. 이런 기술이 우리 생활 속에 스며들어 올수록 우리는 더 이상 새로운 기술을 신기하게 여기지 않고, 그저 자연스러운 일상의

---

4 국립국어원. (nd). 자동화. 국립국어원 표준국어대사전에서. https://stdict.korean.
go.kr/search/searchView.do?word_no=274401&searchKeywordTo=3
에서 2023년 10월 30일에 검색함.

일부분으로 여기게 되고, 당연시하게 된다.

그러나 당연함은 때로 우리의 비판적인 사고와 태도를 약화할 수 있다. 우리는 자동화라는 편리함에 의존하면서 더 이상 고민하지 않는 경향을 보인다. 예를 들어, 검색 엔진을 통해 얻는 정보를 그대로 받아들이면서 의문을 품지 않고 신뢰하는 경우가 적지 않다. '팩트체크'라는 말이 범용적으로 사용될 정도로 인터넷상 검색 엔진에서 얻어지는 정보가 분명하지 않은 정보일 가능성이 있음에도, 더 빠르고 더 많은 노출이 되었다는 사실만으로, 자연스럽게 사실처럼 여기고 판단하는 오류를 자주 접하게 된다. 기사를 자주 접하는 사람이라면 '리쌍 곱창집 사건'을 기억하는 사람이 있을 것이다. 간략하게 내용을 정리하면, 가수 리쌍이 건물주로 있는 건물에 곱창집을 하고 있던 세입자가 건물주의 갑질을 고발하면서 발생한 사건이다. 단순하게 이렇게만 보면 건물주가 갑질했다고 인식할 수도 있었고, 해당사건, 초창기 대중들의 반응 역시 예상대로 '유명한 사람들이니 당연히 갑질할 줄 알았다 ㅋㅋㅋ'이라는 식의 의견들이 자주 보였다. 해당 사건을 자세히 살펴보면, 오히려 건물주인 리쌍은 호의를 베풀었는데 세입자가 역으로 가수라는 유명세를 악용하여 악덕 건물주라고 여론몰이를 한 사건이다. 서두에 언급했던 언더도그마의 반례로 자주 언급되는 사건이고, 여론몰이를 이용하는 모습은 교차검증 없는 단순한 인터넷 검색이 진실을 말해주지 않는 사실을 알려준다.

따라서 우리는 이런 악의적 여론몰이에 놀아나지 않아야 하고, 이를 위해서 어떤 정보를 접하더라도 비판적인 사고를 통해 해당 정보의 진실성을 생각해 봐야 한다. 위의 '리쌍 곱창집 사건' 같은 경우 인터넷에서 해당 사건이 전개되는 사실을 실시간으로 찾아보았다면 리쌍이 억울한 상황임을 금방 알 수 있었다. 그러나, 대다수 사람은 세입자가 초반에 주장하던 '건물주가 악덕이다'라는 단편적 정보에만 의존하게 되어 유명세가 있던 리쌍을 욕하게 되었다. 물론 본인의 일이 아니기에 해당 일에 대해 그렇게까지 자세하게 알아볼 이유가 우리에겐 전혀 없지만, 적어도 타인을 비난하기 위해서는 한쪽의 의견만이 아닌 양측의 의견 및 선후 관계나 주변 상황을 파악하고 의견을 생각해 보는 것이 조금이라도 우리가 타인에게 덜 휘둘리고 올바른 판단을 할 수 있는 방법이 아닐까?

필자의 가장 친한 친구와 얼마 전에 MBTI 이야기를 했는데, 필자와 친구는 4가지 모두 완전 반대였다. 하지만, 그 친구와는 초등학교 때부터 친구로 군대를 동반입대까지 한 말 그대로 베스트 프렌드 중 하나이다. 그 친구와 대화하면 차이점을 느끼면서도, 서로를 존중하기에 선을 넘지 않고 언제나 나에게 시야가 넓어지는 경험을 제공해 준다. 이처럼 필자와 다른 성향을 보인 이들과의 대화를 선호한다. 성향이 다른 사람들과의 대화는 평소에 삐그덕거리는 경우도 있고, 이해가 안 될 때도 존재한다. 하지만, 적어도 그들과의 대화를 통해 나와 다른 시각이 있다는 것을 몸소 느끼게 된다. 단적인 예로 필자가 소속된 모임에서 '팀장이 팀원들에게 업무를 지시하는데, 모든 정보를 주지 않는다'라는 주제에 관해 이야기해 볼 기회가 있었다. 보수적으로 바라본 필자는 모든 정보를 팀원에게 말하게 되면 대외비 등 보안상의 문제와 업무 내용에 대한 이해를 전부 시킬 수 없다는 이유로 당연히 팀장 선에서 걸러서 이야기해 줘야 한다는 의견이었다. 하지만 진보적인 시각을 가진 지인들은 모든 정보를 공유해야 브레인스토밍할 수 있고, 업무 흐름을 파악하기 좋으므로 당연히 모두 말해줘야 한다고 이야기해 주었다. 그 당시 결론은 팀의 성향에 따라 다르다였다. 규율이 중요한 보수적인 집단, 군인이나 경찰 같은 집단에서는 필자와 같은 걸러서 말해주는 방식이 어울리고 창의성이 중요한 진취적인 집단, 스타트업 기업에는 모든 내용을 말해주는 것이 맞다는 결론이었다. 해당 토론은 자칫하면 좁아질 수 있고 아집이 생길 수도 있는 필자의 관점이 조금이라도 넓어지는 경험이었다. 그 이후 성향이 다른 지인들의 대화가 심적으로는 다소 불편하면서도 계속 시도하게 된다. 사람을 사귈 때 당연히 스트레스를 주는, 자신과 다른 성향의 사람은 피하는 것이 정신건강에 좋다. 하지만, 서로를 존중하는 선에서 성향이 다른 사람들과 지속적인 관계를 맺는 것은 우물 안의 개구리가 될 수 있는 우리의 편협한 시각을 넓힐 기회가 될 것이다. 그리고 다양하게 모인 관점은 우리에게 여론몰이에 휘둘리지 않고, 조금이라도 진실과 가까워지는 길잡이가 되어줄 것이다.

평점 # 별점

당연함이라는 생각은 우리가 일상적인 상황에서 예상할 수 있는 일이 자연스럽게 받아들인다는 것을 의미한다. 하지만 이러한 당연함은 우리가 군중심리에 휩싸여 타인의 평가와 의견에만 의존하는 현상을 만들어 낼 수도 있다. 영화관에 가기 전 평점을 찾아보고 낮은 점수의 영화는 선택하지 않은 모습이나, 주변 맛집을 찾기 위해 지도 앱에서 각 가게에 대한 별점을 확인하고 블로그 등의 내용을 찾은 후 판단하는 것이 현재 우리의 삶이다. 이는 위에서 말한 자동화와 더불어 문명의 발전이 우리에게 가져다준 지식의 산물이고, 예전처럼 오프라인상에서 사람들에게 묻는 것이 아니라, 온라인상 인터넷 정보를 사용하면 되는 사회가 되었다.

하지만, 이런 평점과 별점에 과도하게 의존한다면, 새로운 것을 접할 기회를 잃게 되고, 타인의 의견에 맹목적으로 의지하는 수동적인 사람이 될 가능성이 높다. 새로운 것을 접할 기회가 적어진다면, 여전히 새롭게 만들어지는 책들과 영화에서 얻을 수 있는 즐거움도 줄어든다는 말이 아닐까? 군중심리로 인해 소수의 작품에만 사람들이 몰리게 되고, 그 외의 작품들은 먼지처럼 사라지기에, 책이나 영화, 음악 같은 문화 콘텐츠들도 작품성보다도 SNS 같은 화제성에만 더욱 집중하게 되는 모습을 보여주게 된다.

오늘 하루 처음 보는 상대와 데이트를 한다고 가정해 보자. 설레는 마음에 장소와 시간을 정하고 해당 장소에서 같이 즐길만한 곳을 검색하게 된다. 이때, 우리는 인터넷에서 제시되는 음식 가게의 별점이나 영화, 문화 콘텐츠에 부여된 평점에 기대어 데이트 코스를 짜게 될 것이다. 이런 모습이 우리들의 일상이 되어버렸고, 본인이 직접 겪기 전 타인들의 의견들을 토대로 하루의 일상이 정해지게 된다.

물론 많지 않은 시간과 금전적 제약으로 인해 우리에게 매번 선택의 갈림길에 서게 된다. 그리고 우리는 성공보다도 실패하지 않는 결과를 얻기 위해, 타인의 의견들이 종합된 별점이나 평점에 의존하게 된다. 그러나, 각 작품을 접했을 때, 그 작품에서 얻을 수 있는 감정은 개인마다 다를 수밖에 없다. 어찌 보면 너무나도 많은 작품이 나오기에, 그중 좋은 결과를 얻을 작품을 엄선하기 위해 타인의 의견을 참고하는 것이 당연한 현상일수 있다. 하지만, 그 의존 현상이 너무 심해져서, 자신과 작품과의 교류에서 나오는 자신만의 즐거움은 포기한 채, 타인의 의견이 자신의 의견인 것처럼 여긴다면, 작품을 보는 이유는 어디에 있는 걸까? 나는 재미있었고, 타인이 재미없을 수도 있는 건데, 대다수가 재미없었다는 사실 때문에 내가 재밌다고 느낀 감정을 부정할 이유는 없다. 작품을 보는 이유는 타인에게 자랑하기 위함이 아니라, 작품과 개인 간의 교류에서 나오는 감정이기에, 우리는 당연하게 타인의 의견에 의존하지 않고 주체적인 판단을 할 필요가 있다.

군중심리　# 집단지성

우리는 사회적으로 소속감을 느끼고, 타인의 인정과 수용을 받는 것을 중요시한다. 이는 자연스러운 욕구이지만, 때때로 당연함의 함정으로 이어질 수도 있다. 우리는 타인의 평가와 의견에 의존하여 자기 생각과 가치를 희생하기도 한다. 이는 군중심리에 따른 행동으로 볼 수 있으며, 개인의 자율성과 독립적인 사고를 저해하는 결과를 가져올 수 있다.

군중심리란 무엇일까? 일반적으로 군중심리란 '많은 사람이 군집상

태에서 행동할 때 이 행동을 불러일으키는 전체적인 심리적 메커니즘과 이 행동에 참여하고 있는 사람들이 경험하는 심리상태'를 말한다.[5] 교통사고가 발생했을 때 사고라는 공통의 사건으로 사람들이 일정 공간을 메우는 것이 군중심리의 현상이고, 경찰이 오고 구급차가 와서 사고처리가 끝나면 관심 대상이 소멸하고 사람들이 흩어져서 군중은 소멸하게 된다.

군중심리의 특징으로는 경신성, 충동성, 과장성, 편협성이 있는데, 각각 군중은 다른 사람의 암시에 따른 행위를 쉽게 하는 경향, 충동적인 행동을 유도하는 경향, 감정이 단순해지고 감정이 과장되거나 강화되어 나타나는 현상, 다른 사람의 반대 의견을 허락하지 않는 경향이라고 한다. 즉, 종교적 맹신으로 반대되는 타인의 의견을 비판이 아닌 무조건 비난하는 현상들이 일종의 군중심리라고 볼 수 있다.

군중심리와 유사한 단어로 집단지성이라는 단어도 있다. 집단지성의 개념은 원래 곤충학에서 나왔다. 각 개체는 지능이 없지만 전체 무리는 고도의 지능체계를 형성하는 개미 등의 군집을 설명하는 데 쓰였다. 집단 지성은 굳이 조직이 없어도 스스로를 조직화할 수 있는 새로운 방법이다. 집단지성을 통해 개인으로는 얻기 힘든 지식의 한계를 집단이라는 조직을 통해 더 확대되어 개인보다 더 이상적이고 탁월한 결과를 얻게 된다. 각종 주제에 토론하고, 회의하고, 의견을 모아서 결

---

5 국립국어원. (nd). 군중심리. 국립국어원 표준국어대사전에서. https://stdict.korean.
go.kr/search/searchView.do?word_no=41657&searchKeywordTo=3
에서 2023년 10월 25일에 검색함.

과를 추출하는 과정들이 일종의 집단지성 예시이다. 먼저 말했던 음식점의 별점이나 영화마다 정해진 평점 역시 집단지성이 만들어 준 결과물이다.

이렇게 군중심리, 집단지성에는 개인이 시간과 공간의 제약으로 얻기 힘든 결과를 얻을 수 있게 해준다는 매력적인 장점이 있다. 위에 언급한 음식점과 영화의 평점과 별점이 바로 그 예시이다. 하지만, 군중심리에서 나타난 단점처럼 본인이 소속된 집단에서 나온 결과만이 올바르다고 생각하고, 그 외의 조직이나 집단에서 나온 의견은 배척하고 비난하는 편협성이라는 단점도 존재한다. 최근 상대 의견이라면 어떠한 타협점을 찾기보다 혐오부터 하는 정치적 활동 집단이나 언론 집단이 많이 보인다. 이런 모습 보면 볼수록 정치에 관심 없는 대다수 소시민은 신물이 나고 거부감을 보이며 정치 자체에 혐오감을 느끼고 있는 것이 아닐까? SNS의 발달로 개개인의 의견을 표출하는 것이 과거보다 쉬워졌지만, 반대로 일종의 좌표찍기를 통해 해당 인물을 저격하는 행동이 군중심리가 보여주는 단점이다. 좌표찍기란 특정 정보나 링크를 온라인으로 공유한다는 의미로, 특정 인물의 실명이나 사진을 SNS에 올린 뒤 그 인물을 비난하도록 여론몰이하는 것을 뜻한다. 과거 김보름 선수 왕따 사태나 채선당 임산부 사건처럼 확인되지 않는 사실에 무작정 몰려가서 비난하는 온라인 사용자들의 행동은 이미 스스로에 대한 주체성을 잃어버린 안타까운 사례라고 생각한다.

온라인이 가지는 익명성이라는 특징을 악용하여 본인은 감추면서, 확인되지 않은 사실에 대해 특정 인물을 비난하는 행위는 지양되어야 한다. 2차 가해가 더욱 확산하는 이유이기도 하고, 온라인이라고 책임을 무작정 회피할 수 있는 것도 아니기 때문이다. 또한, 해당 사건에 관한 판단은 진실이 나오고 나서 각자의 개인이 판단해야 하는 것이 맞는데, 속칭 '음모론'에 휘둘려서 불분명한 사실에 타인을 비난하고 혐오한다면, 흔히 정치계에서 조롱으로 사용되는 '대중은 개돼지'와 다른 점이 무엇이겠는가? 우리는 개돼지 같은 대중이 아니라 생각하고 비판을 할 수 있는 사람이다.

주체성 # 개성

사람이 사람으로서 존재하고 존중받고 인정받기 위해서는 스스로 생각하고 판단해야 한다. 스스로 생각하고 판단하는 것이 곧 그 사람의 주체성이 된다. 주체성이란 인간이 어떤 일을 실천할 때 나타내는 자유롭고 자주적인 성질이다. 현대철학에서는 의식과 신체를 가지는 존재가 자기의 의사로 행동하면서 주위 상황에 적용하여 나가는 특성이기도 하다.[6] 결국, 개인의 개성을 결정하는 요소가 된다. 90년대에 유행했던 X세대나 자기 PR의 시대라는 말, MZ세대, 알파/잘파 세대 등 세대론에서 공통으로 보이는 현상은 '난 남들과 달라'라는 특징이다. 남들과 다르다는 사실은 시대와 나이 상관없이 언제나 본인을 나타내기 위해, 필요한 욕구였고, TV 시대에는 연예인으로서 최근엔 인

---

6   국립국어원. (nd). 주체성. 국립국어원 표준국어대사전에서. https://stdict.korean.
     go.kr/search/searchView.do?word_no=41657&searchKeywordTo=3
     에서 2023년 10월 27일에 검색함.

플루언서라는 형태로 나타났다. 남들과 다른 개성이 있기에 연예인이나 인플루언서로서 매력이 있기 때문이다. 타인과 차이가 없다면, 대체제가 있는데 굳이 그 사람을 찾을 이유가 있겠는가?

그리고 개성이 있어야, 자신만의 특색이 생기고 타인에게 매력을 보여줄 수 있고, 다양성이 넘치는 사회가 될 것이다. 우리가 일상생활에서 지루함을 느끼는 이유는 반복되는 일상, 즉 유사한 행위를 반복하기 때문이다. 그래서 여행이나 맛집 탐방 등, 그 행위의 크기나 형태는 다를지언정 일상에 변화를 주어 재미를 찾게 된다. 같은 개념에서 모든 사람이 같은 모습을 보인다면, 사회에서 역시 지루함을 느낄 것이다. 사람을 만나는데, 다들 차이가 없다? 그럼 누굴 만나든 예상이 될 것이고, 더 이상 사람을 만날 이유를 못 느끼게 될 것이다. 결국, 다양하지 못한 사회는 재미없다고 느낄 것이다. 또한 개성이 있어야 창의적인 생각이 가능해지고, 창의적인 생각이 있어야 더욱 성장할 수 있고 인정받을 수 있다. 즉, 비범한 사람들이 바로 개성적인 사람을 지칭한다. 비범해야 성공할 수 있다는 사실은 나이가 들수록 몸소 느끼게 되는 사실이다. 남들과 똑같으면 가능성도 남들도 똑같기에 자신에 대한 장점이 없고 회사에서도 쉽게 교체될 수 있는 직원으로 판단되기 때문이다. 결국, 스스로에 대한 개성이 자신의 가치를 만드는 요소 중하나이다. 본인의 가치를 위해서라도 타인의 의견에 너무 휘둘리지 말고, 타인의 의견을 비판적으로 받아들일 수 있는 사람이 되어보자.

'너와 나의 연결고리, 그건 우리 안의 존중'

뻔뻔함　# 사과

　사회에서 사람들을 접하다 보면 신기하다고 느껴지는 유형의 사람들이 있다. 바로 상대에게 미안하다고 사과하는 것을 패배했다고 인식하고, 어떤 상황에서도 사과하지 않고 뻔뻔하게 해당하는 상황을 애써 무시하는 사람들이다. 상대에게 사과하면 상대에게 밉보인다고 생각해서 그런 걸까? 아니면 지금껏 무시해 왔던 상대에게 차마 머리를 숙이기엔 자신의 자존심이 허락하지 않은 걸까? 그들은 잘못했을 때 당연하게도 타인에게 사과하는 걸 모른다.

　사과를 모르는 뻔뻔한 사람에 대해 찾다 보니 정무늬 작가님의 도서, 『걱정마 어차피 잘될 거니까』을 발견하게 되었다. 해당 도서에는 '죽어도 사과하지 않는 사람들'이라는 내용이 나온다. 다음 도서에는 절대 먼저 사과하지 않는 사람들에 대해 이렇게 말하고 있다.

　누구나 잘못을 인정하는 과정에서 조금씩 상처를 입는다고 한다. 자아가 강한 사람들은 곧 회복한다. "실수했지만 나는 괜찮은 사람이야. 다음엔 그러지 말아야지." 반면에 자아가 약한 사람들은 "나는 가치 없는 인간이야. 근데 잘못까지 저질렀다고? 절대 인정 못 해!" 이런 심리가 발동한단다. [7]

　사과하는 법을 익히지 못하면 거짓말과 핑계부터 튀어나오기 마련

7　정무늬, 『걱정마 어차피 잘될 거니까』, 부크럼, 2023년, p146.

이다. 되레 화내는 사람, 없는 말까지 지어내서 자신을 방어하는 사람이 한둘이 아니다.[8]

살면서 여러 잘못을 저질렀다. 도망치고 싶은 순간도 있었다. 하지만 그러지 않았다. 남들은 잊어도 나는 내 비겁함을 기억하리란 걸 알기 때문이다. 지금도 지난 실수를 감추지 않는다. 늘 되새긴다. 다시는 반복하지 않으리란 맹세도 마찬가지다.[9]

'사과'가 어색하다는 이유로 얼렁뚱땅 넘어가려는 시도를 해본 기억은 다들 어렵지 않게 떠올릴 수 있을 것이다. 하지만, 그 '사과' 한마디를 못 해서 관계가 파탄 났다면, 되돌리기엔 이미 늦었다. 모든 일엔 때가 있기 때문이다. 사과는 상대가 받아줄 때 성립하는 것이지, 자신이 사과했으니 사과한 거라는 식의 이해를 강요하는 행위는 전혀 사과가 될 수 없다. 하지만, 뻔뻔한 사람들은 당연히 이해를 강요한다.

스스로 잘못한 점을 '인정'할 수 없기에 방어기제로서 오히려 타인에게 화를 낸다. '사과'를 제대로 하는 방법은 잘못을 인정하고, 진심으로 사과하고, 재발 방지 혹은 보상을 약속하면서 다시 자신을 신뢰할 수 있게 하면 된다. 하지만 그 첫 단추인 '인정'부터가 쉽지 않은 과정이다. 입에서 꺼내기 부끄럽다는 이유로, 자존심이 상한다는 이유만으로 사과를 말로 하지 못하는 경우도 있다. 혹시나 말로 사과를 하였더라고 정작 행동이 변하지 않는 이들도 자주 접하게 된다. 결국 진정한 사과는 생각보다 어려운 과정이다.

8   정무늬, 『걱정마 어차피 잘될 거니까』, 부크럼, 2023년, p146.
9   정무늬, 『걱정마 어차피 잘될 거니까』, 부크럼, 2023년, p149

잘못을 인정하는 것은 나이가 들수록 어려운 일이다. 자신의 삶을 부정하는 느낌이 들기 때문이다. 하지만, 어렵다는 점이 사과를 안 하는 이유가 될 순 없다. 어렵다는 핑계로 자신을 속여서는 안 된다. 사과는 자신을 낮추는 행위가 아니다. 타인에게도 스스로에게도 존중받기 위해선 부끄럽지 않은 사람이 되어야 한다. 본인을 존중해 주지 않는 상대를 어떻게 존중하라는 말인가?

결국, 어떤 이유이든 자신이 잘못했다면, 진정으로 사과하는 것이 상대에 대한 배려이자 자신의 삶을 당당하게 만들어 주는 방법이다. 하지만, 관계를 개선할 방법이 분명하게 있음에도, 끝끝내 그 사과 한마디를 하지 못해 서로 존중하지 못해, 몇 년의 관계를 파탄 내는 경우를 종종 접하게 된다.

불신

최근 유튜브를 보다가 최근 학부모의 악성 민원으로 인해 교사들이 자살하게 된 내용을 접하게 되었다. 해당 현상이 발생한 이유를 우리나라가 직업에 대한 불신이 높아졌기 때문이라고 진단했다. 보편적으로 의사에게 기대하는 의학적 능력도, 선생님에게 기대하는 가르침의 능력도, 검사 판사에게 기대하는 정의로운 판결의 능력도, 현 우리 사회에서 그들의 직업에 대한 불신이 심해져서 믿지 못한다는 내용이었다. 의사에게 본인이 원하는 답을 얻지 못했다고, '본인이 인터넷에서 찾아봐서 아는데'라고 시작하는 문구로 의사의 의학적 의견을 무시하는 환자의 모습이나, 선생님들의 여러 아이를 지도하는 모습이 만족스럽지 못하다는 이유로 무작정 민원을 넣음으로써 교사들이 목숨을 포기하는 만들었다는 뉴스를 접하게 되면 과거에 당연하게 의사 선생'님', 담임 선생'님' 이라고 존칭 받아오던 그들의 위상이 왜 이렇게까지 떨어지게 된 것인지 안타깝기도 하고 무섭기도 하다. 물론, 모든 의사와 선생님들이 완벽하지 않다는 건 사람이기에 실수할 수도 있고, 이해할 수 있는 사실이다.

직업에 대한 프로의식이 부족한 이들도 일부 존재하겠지만, 대다수 직장인이라면 본인 업무에 대한 사명감이나 프로의식을 가지고 해당 직무를 수행하게 된다. 우리가 직업에 대한 불신을 가지게 된 대표적인 사례로 최근에 자주 접하게 되는 뉴스인 '아이들을 때리는 보육원 교사들'이 있다. 그런 뉴스들이 늘어날수록 불안감 때문에 학부모들은 더욱 거칠게 항의하게 되고, 학부모와 보육원과의 불신은 점점 커져 결국 사이에 낀 아이들의 삶을 힘들게 한다. 화를 내면 복수를 할 생각을 하지, 더 잘해준다는 생각은 안 하기 때문이다. 그러나 소수의 잘못된 모습으로 해당 직무 자체를 의심하고 따지게 된다면, 누구에게 어떤 것을 믿고 맡길 수 있을까?

상담센터 직원들에게 온라인이라는 상황으로 인해 모욕적인 언어로 마음의 상처를 주는 것이 당연시되어, 상담센터 전화 시작 부분에 그들을 보호하는 문구가 들어가는 표준안이 생겼다.[10] 이제 타인에게 상처를 주는 것에 미안함을 느끼기는커녕 뻔뻔함으로 무장한 사람들

---

10 행안부는 지난 2019년 10월, '행정기관 민원콜센터 통화연결음 표준안'을 마련해 시행하고, 기관의 자율적 활용을 권고한 바 있다.

이 온라인의 영역에서 오프라인으로까지 넘어오게 되었다. 상담센터 직원들과 동일한 관점에서 악성 민원으로 인해 상처 입고 사회적으로 보호받지 못해 안타까운 결정을 하는 공무원이나 교사들을 위한 보호책이 마련되는 것이 마땅한 절차라고 본다. 그리고 잘못한 것에 대한 부끄러움을 느끼지 않게 된 현재 사회적 관념을 바꾸는 과정이 반드시 동행 되어야 해당 사건이 재발하지 않고 더욱 사회가 정상화되는 것이 아닐까? 결국, 직업에 대한 불신, 타인에 대한 무시 및 뻔뻔함과 자신의 발언에 대한 무책임함이 그들의 생명을 앗아간 게 아닐까?

상호존중 # 진실성

흔히 말하는 "화내야만 업무처리를 해준다.", "착하게 말하면 무시당한다." 등의 라는 잘못된 사회 통념이 자리 잡아 가고 있는 현실에서 우리가 가져야 할 마음은 바로 상호 존중이다. 즉, '상호존중'이라는 개념이 있다면, 불신으로 인해 극단적으로 변해가는 인간관계를 개선할 수 있다. '상호존중'이라는 단어는 '상호'+'존중'이라는 두 가지 단어가 모여서 만들어진 합성어이다. 상호존중은 서로 다른 배경과 가치를 가진 사람들 간의 이해와 인정을 의미한다. 각자의 고유한 경험과 관점을 가지고 있으며, 이를 서로 존중하고 인정함으로써 서로를 향한 감사와 존경의 마음을 가지게 된다. 상호존중이 추상적인 개념일 수 있으나, 결국 사람과의 관계를 만들어 주는 것은 믿음과 신뢰이다. 그리고 이런 개념들이 다시 살아나기 위해서는 '당연함'이라는 이름 아래 암묵적으로 이뤄지는 사회적 통념보다 '감사함'이라는 마음을 가져야 가능하다고 생각한다. '당연함'이라는 이유로 타인에게 무엇인가를 강요하고 사과해야 할 때 하지 않아서, 믿음과 신뢰가 점점 무너진 것이 아닐지 조심스럽게 생각해 본다.

　우리가 학창 시절 처음 친구를 사귈 때, 서로에게 믿음과 신뢰로 진실성 있는 모습을 보여주면서 우정이 쌓여간다고 생각한다. 초등학교 시절 학교에서 함께 축구하다가 창문을 깨뜨렸을 때, 선생님께 혼난다고 생각해 보자. 도망가지 않고 함께 꾸중 듣는 친구에게서 의리를 느끼고 더욱 친밀해진다. 하지만, 남 탓으로 돌리고 도망가는 이들에겐 배신감을 느끼고 관계가 점점 멀어지게 된다. 결국 함께 축구했지만, 야비한 아이들은 점점 친구가 없어지게 된다. 이렇게 어릴 때부터 우리는 믿음과 신뢰라는 개념의 중요성을 친구를 사귀면서 몸소 체험한다. '이 친구는 의리가 있으니까 믿을 수 있어. 저 친구는 배신을 자주 하니까 같이 안 어울릴래.' 어린아이들도 알고 배우는 이 사실을 나이를 먹어가면서 까먹는 걸까? 어린 시절 친구를 사귀었던 기억을 되살리면서 타인에 대한 존중, 믿음 그리고 신뢰를 다시 기억해 낸다면, 최근 우울해지고 암울해지는 현실이 조금이라도 줄어들 것이라고 믿는다.

'숨이 차올라도 끝없이 달려가'

귀찮음 # 핑계

필자는 '귀찮아'라는 말을 좋아하지 않는다. 그 말에서 오는 게으름과 정체감이 무언가 답답하게 느껴지기 때문이다. 중학생 시절, 여름방학이 끝나고 개학 후 첫 수업에서 담임선생님께서는 자연스럽게 이런 질문을 하셨다. "방학 동안 어떻게 지냈니?" 일상적으로 물어볼 수 있는 질문이었고 선생님 역시 그렇게 큰 의미를 부여하고 했던 질문이 아니었다. 하지만, 필자는 그 질문에서 자괴감을 느꼈다. 방학 내내 했던 일이 하나도 떠오르지 않았기 때문이다. 귀찮다는 이유로, 아무것도 하지 않고 시간을 허송세월 지냈다고 느꼈다. "왜 난 그 질문에 답변할 당당함이 없었을까?" 그 굴욕적인 경험을 한 이후 정말 특별한 이유가 아니라면, 귀찮다는 핑계로 일을 미루려고는 안 하고 있다. 물론 지금도 모든 일을 그렇게 빠릿빠릿하고 성실하게 처리하며 행동하고 있는 것은 아니지만, 적어도 그 시절 기억은 내게 부지런함과 노력에 대한 새로운 시각을 가질 기회를 주었다.

사회생활을 하다 보면 여러 가지 일을 접하게 되고, 업무를 처리하다 보면 해당 업무를 받게 될 때 같이 딸려 오는 처리 과정을 경험으로 상상할 수 있게 된다. 업무라고 어렵게 표현했지만, 일상으로 적용해 보자. 성인들의 영원한 동반자이자 적대자, 다이어트를 하기 위해서는 꾸준한 운동과 식이요법이 필요하고 충분한 수면 역시 요구받게 된다. 하지만, 살을 빼기 위해 해당 과정을 수행하기엔 까다롭고 지루하고 힘들다는 사실을 알기 때문에 '귀찮아'라는 말로서 회피하게 된다. 결국 건강하지 못한 미래가 본인을 기다린다는 걸 머릿속으로는 알고 있으나, 바로 지금 내가 너무 힘들 것이라는 생각과 어떻게든 될 거라는 만연한 기대 속에 결국 오늘도 다이어트를 포기하게 된다. 그리고 다른 사람들 역시 자신과 같이 당연하게 힘들어하고 포기할 것이라고 여기면서 자신을 위로하게 된다. 결국, 귀찮다는 말은 당연하게도 노력하지 않은 자기방어용 핑계로 자주 사용된다.

워라밸 # 노력

최근 MZ세대라는 단어가 매스컴에서 많이 언급되면서 그들이 추구하는 것은 '워라밸'이라고 한다. 회사에 본인의 모든 걸 쏟아붓고 본인 개인의 삶을 포기하던 과거와는 다르게 회사의 업무는 회사의 업무일 뿐이고 개인의 생활 역시 그만큼 중요하기에 워크와 라이프의 균형을 맞춘다는 의미이다. 회사업무만으로 가치를 찾았던 과거와는 다르게 개인적인 삶에서도 가치를 찾기 위한 개념이고, 회사에서의 능력만으로 자신을 증명하기 힘들어진 젊은이들에겐 충분히 타당한 가치라고 생각한다.

하지만, '워라밸'을 핑계 삼아 회사는 그저 시간 축내는 곳으로 인식하고, 업무에 대한 책임감과 노력이 부족한 직원 역시 적지 않다. 이 점이 최근 많아지는 오래된 팀장과 새로 온 신규 직원 간의 갈등을 만들고 있다고 생각한다. 자기 개인 생활을 포기하고 회사에 모든 것을 바쳐서 본인을 증명해 온 팀장에게는 지시한 업무에 대한 책임감 없이 칼같이 퇴근해 버리는 신규 직원의 모습을 이해하기 어렵다. 왜냐하면 팀장에게 회사는 '당연히' 개인보다 우선시되는 공간이었기 때문이다. 그러나 신규 직원에게는 팀장의 과거가 어떻든 겉으로 보기에 회사를 오래 다녔다는 이유만으로 돈을 더 받아 가는 팀장의 모습이 이해가 가지 않는다. 입사 전 생각해 오던 실적만큼 보상받아 간다는 '당연한' 직업 논리가 무너지기 때문이다. 그렇기에 회사에서는 노력해 봤자 가치를 찾지 못한다고 인식하게 되고, 본인의 가치를 찾기 위해 회사 내부 업무보다 퇴근 후 외부 활동에 집중하는 모습을 보이게 된다. 결국, 서로 간의 '당연함'의 괴리감에서 팀장과 신규직원 간의 갈등이 심화하는 건 아닐까?

하지만, 고여 있는 물은 썩기 마련. 멈추게 되면 뒤처진다는 현실은 만고의 진리이다. 10년 후에 지금보다 더욱 노력하여 발전한 이들과 현실에 안주하면서 시간만 때우는 이들과의 능력이 같지 않음은 당연한 결과일 것이다. 이 점은 팀장이나 팀원이나 같은 사실이다. 팀원 중 퇴근 후 공부하거나 자기 발전을 위해 노력하는 힘쓰는 직원들도 존재하고, 오히려 퇴근 후 자기 개발을 통해 회사를 퇴사 후 더욱 성공하는 사례가 많아지는 현실임을 부정할 생각은 없다. 유튜브로서 성공한 1인 기업이 어디 한둘인가? 팀장급 관리자들 역시 회사에서 얻게 된 인맥으로 다른 사업을 따오거나 창업하게 되어 더 승승장구할 수 있다는 것도 사실이다. 하지만, 노력 없이 그저 현실에 안주하고 업무만 아랫사람한테 넘겨버리고 업적이나 공을 뺏어가는 관리자나, 퇴근 후 발전 없이 그저 편하기 위해, 회사 업무가 귀찮아서 '워라밸'이라는 단어로 자신을 합리화하고 안주한다면, 당연히 10년 후에 자신은 여전히 그 자리에 머물러 있을 수밖에 없고, 노력한 사람들과의 격차는 더욱 커질 것이다.

정치질 # 스포츠맨십

또한, 타인의 노력을 비방하는 방식으로 회사에 다니는 사람들도 있다. 흔히 말하는 '정치질'만 하면서 회사에 다니는 이들이다. 회사일 역시 사람이 하므로, 사람과의 관계는 중요하다. 업무실적을 인정해 주는 것은 결국 사람이기 때문이다. 그러나, 타인의 업무적 능력이나 실적을 깎아내리거나 심지어 뺏어버리는 행위는 회사라는 조직에 암적으로 작용하게 된다. 그리고 회사가 실제 업무는 하지 않고 회사정치에만 몰두하는 '정치적'인 직원을 묵인해 버린다면, 다른 직원들은 '당연히' 이 조직은 업무적 능력보다 '정치질'이 더 중요한 곳이라고 판단하게 되고, 조직 전체의 업무집중도가 떨어지게 될 것이다. 결국 타인의 노력을 존중하지 않고, 뺏고 비난하고 부정하는 데에 몰두하게 되어 회사가 역성장하게 된다. 회사가 발전하기 위해서는 업무에 집중하지 못하게 만드는 '당연한' 정치적 행위를 자제시킬 필요가 있다.

최근에 감명 깊게 본 예능 프로 중 피지컬100이라는 프로그램이 있다. 해당 프로그램은 신체적 능력에 자부심이 많은 100명의 사람을 모아 가장 강한 피지컬을 가진 한 사람을 찾기 위해 경쟁하는 프로그램이었다. 생각보다 많은 관심과 사랑을 받았는데, 이 프로그램이 사람들에게 사랑받게 된 이유는 상대와의 경쟁에서 타인의 비방보다는 자신의 단련에 최선을 다하고, 경기 결과에 정정당당하게 승복했기 때문이라고 생각한다.

즉, 각자의 '노력'을 "당연시"하지 않고 타인의 노력을 '상호존중'했기 때문에 흔히 말하는 스포츠맨십을 몸소 느끼면서 즐길 수 있었다. 스포츠맨십이란 경기가 끝나거나 경기 이외에 관계에서 경쟁을 삼지 않고 서로의 감정을 매너 있게 나타내는 스포츠의 예의 매너이다. 경기가 끝나면 서로 악수하고 서로의 건투를 비는 것도 하나의 매너이다. 당연함이 당연해지는 사회에서 우리가 가져야 하는 마음가짐은 피지컬100에 출현한 출연자들처럼 타인에 대한 비방보다는 스스로 발전에 집중하여 최선을 다하며, 타인의 노력을 인정해 주는 스포츠맨십이 넘치는 사회가 아닐까? 자신의 '노력'과 타인의 '존중'은 '혐오'와 '비난'으로 하루하루 지쳐가는 우리에게 회복이 되고 힐링이 되는 사회로의 한걸음이 될 것이다.

'익숙함에 진심을 속이지 말자'

감사함

당연함, 익숙함에 대해 조사하다가 문득 우리는 이 당연함으로 인해 감사함을 잃고 있다는 사실을 알게 되었다. 어머니가 가족을 위해 매번 식사를 준비해 주는 걸 당연하게 여기고 감사하다고 생각한 적이 있는가? 오히려 왜 맛없는 것만 해주냐고 불평하는 우리의 모습이 더 많지 않을까? 어머니가 식사를 준비해 주는 것이 당연한 건가? 왜 우리는 매번 식사를 준비해 주시는 어머니께 "식사를 준비해 주셔서 감사합니다"라는 감사하다는 그 쉽고도 가벼운 한마디를 하지 않게 되었을까?

언제부터 사람들은 감사함을 표하지 않게 되었을까? 감사하다는 말이 사실 어려운 말이 아님에도, 사과하지 않은 뻔뻔함 사람들처럼 타인에게 얕보인다는 잘못된 인식이 점점 감사라는 단어가 사라지게 만든 이유 중 하나가 아닐지 생각해 본다. 그리고 그 사실이 사람들을 더욱 뻔뻔해지게 했고, 그 점이 '당연함이 만연해진 사회'가 되도록 유도한 것이 아닐까? 상대방으로부터 도움을 받았다고 느낀 사람들이 더욱 감사한 마음을 가지는 현상은 자기 일의 책임을 느꼈을 때만 나타나고, 책임감을 느끼지 않았던 사람들은 도움을 받았다고 인식하더라고 감사의 마음에 변화가 없었다는 논문 결과가 있다.[11] 즉, 역시 우리가 책임감이 있어야만 감사함을 느끼게 하고, 결국 책임감이 실종하고 있는 사회에서 감사함이 인색해지는 사실을 뒷받침해 주는 근거 중 하나라고 생각해 보게 된다.

관련된 내용을 찾다 보니 '당연함'과 '감사함'은 반비례한다. 당연함이 없는 사람에게는 감사 충만이고, 감사함이 없는 사람에게는 당

---

11 osalind M. Chow, & Brian S. Lowery(2010). Thanks, but no thanks: The role of personal responsibility in the experience of gratitude. Journal of Experimental Social Psychology. 46(3). 487-493.

연함으로 가득 찬 삶을 살게 된다.라는 사설을 읽은 적이 있다.[12] 해당 사설을 정리해 보면 사람은 어린 시절을 배경으로 형성된 자기 나름의 원칙/규칙을 가지고 있다. 그리고 해당 원칙은 자신을 규율 속에서 정당화시키고 그것을 마치 '당연하게' 해야 하고 지켜야 한다는 무의식에 점령당해 있다. 즉, 원칙/규칙이 많을수록 당연함이 많아진다. 그리고, 그 원칙들이 '당연하게' 지켜지지 않는다면 화가 나고, 화를 넘어서서 분노와 격노가 만들어져서 타인을 파멸하고 싶게 만든다. 하지만, 본인만의 원칙은 주관적인 요소이고, 타인에게도 당연하다고 받아들여지는 건 힘들다. 타인에게 자신의 의견을 강요하는 당연함에는 소통보다는 강압과 폭력성이 내재되어 있기 때문이다. 하지만, 감사함에는 당연함과 다르게 강요보다는 수용이 있다. 우리가 세계적인 대부호 워렌 버핏과 점심을 먹는다고 생각해 보자. 그와의 점심은 금액을 지불할 만큼 가치가 높은 것으로 유명하다. 그를 부유하게 만든 현명함을 조금이라고 접할 수 있다고 생각하기 때문이다. 그런데, 그가 시간을 늦었다면? 우리는 과연 화를 낼 것인가? 약속 시간에 상대방이 늦게 나왔어도 그래도 나와줘서 고맙다는 표현할 것이다. 그리고 그것이 바로 감사이다. 결국, 감사한 마음이 당연한 마음보다 커지는 날이 많아진다면 강압과 폭력성으로 인해 피폐해지는 우울함보다 수용하고 감사하는 하루가 많아질 것이다.

---

12 박경은, 『당연함과 감사함은 반비례다』, 디트NEWS24, 2022.12.05. https://www. dtnews24.com/news/articleView.html?idxno=736547

어머니가 집안일을 대다수 맡아서 해주실 때, 당연하게 여기지 않고 자신도 가족의 일부분으로서 책임감을 느끼고 설거지나 청소, 빨래 등 집안일의 일부분을 같이 해준다면, 어머니가 '우리 자식 다 컸네' 하면서 뿌듯해하신다는 것을 우리 모두 알고 있다. 자식의 올바른 성장은 부모님의 기쁨이기 때문이다. 첫째와 둘째 그리고 막내들도 서로의 위치에서 누리는 혜택이 있다는 사실을 인식하고 다른 형제자매들이 겪는 어려움을 공감해 준다면 가족의 불화는 줄어들 것이다.

영화를 볼 때 타인의 평가와 의견에 필터링 없이 무작정 수용하는 것보다, 비판적으로 받아들여 보자. 더 이상 타인에게 휘둘리지 않고 본인만의 주체성이 확립될 것이다. 그리고 그 주체성은 본인의 개성이 될 것이고, 무의미하게 느껴지던 일상이 스스로 고민하고 판단함으로써 즐거움이 많아질 것이다. 본인의 인생은 본인의 것이니깐.

정확하지 않은 사실을 기반으로 무작정 유명인의 SNS로 찾아가서 타인을 비난해서 나타나게 되는 2차 가해를 조장하는 것 보다, 좀 더 정확한 정보를 찾아보고 스스로 판단한다면, 인민 재판이나 마녀사냥으로 만들어지는 피해자가 줄어들고 더욱 공정한 사회가 될 것이다. 서로 다른 신념을 가진 정치인끼리라도 그저 표심을 얻기 위한 말뿐인 정책이 아닌 국민을 위한 정책을 제시했을 경우, 상대방의 의견을 존중하고 자신의 의견과의 타협점을 찾는다면, 국민은 그들에게 진정성을 느끼고 오히려 더욱 지지해 줄 것이다.

부자가 되고 싶고 건강해지고 싶다면, 내일부터가 아니라 오늘부터 아끼고 운동해 보자. 귀찮음은 우리를 과거로 돌려보내지만, 노력은 우리를 미래로 보내준다. 그리고 시간은 언제나 미래를 향해 가기 때문에, 현재의 우리가 과거로 뒤처지지 않고 미래로 가기 위해서는 귀찮음보다 노력과 친하게 지내야 한다.

'당연한 것은 없다'라는 주제를 조사하다 보니, 유독 기독교나 종교 구절이나 문구를 자주 접하게 되었다. 성경 구절 중에서도 다음과 같은 구절이 있다. 당연함을 버려야 할 때가 있다.[13] 당연함을 당연하게 여기지 않는다면, 지금껏 보지 못했던 새로운 길이 보일 것이다. 그리고 우리가 왜 종교를 믿고 목사님의 말씀을 귀 기울여 들을까? 종교적 이유가 아니더라도 좋은 문장에서 마음의 평온함을 찾기 때문이다. '당연함'보다 '감사함'을 가까이한다면, 종교를 통해서 얻는 마음의 평화를 우리도 얻을 수 있지 않을까?

사전에 정의된 단어들은 사회적 합의로서 정해진 뜻이기 때문에 당연하게 해당 의미로 쓰는 것이 맞다. 해가 동쪽에서 뜨고 서쪽에서 지는 자연현상 역시 진리이기 때문에 당연한 것이 맞다. 타인 의견에 의존하고, 타인을 무시하고, 핑계의 수단으로 오용되는 당연함이 잘못된 것이다. 어떻게 보면 대다수의 사실을 당연하게 여기는 이유가 상대를 믿기 때문일 수도 있다. 하지만, 표현하지 않는다면 서로 오해할 수 있다. 상대를 존중한다면 그의 노력을 당연하게 여기면서 표현을 터부시하지 말고 감사함을 말해보자. 서로의 관계가 더욱 돈독해질 것

---

13 행 10:17-23

이다.

개성을 가지고 서로를 존중하며 각자의 노력을 통해 당연함보다 감사함이 많아지는 사회가 되길 희망한다.

오늘밤은 왠지, 이 말이 하고 싶었습니다.

발행 2024년 1월 10일
지은이 주경원, 리유아, 임주현, 성지예, 유일한, 묘리, 김단단, 박규호
라이팅리더 양기연
디자인 윤소정
펴낸이 정원우
펴낸곳 글ego
출판등록 2019.06.21 (제2019-000227호)
주소 서울시 강남구 강남대로 118길 24 3층
이메일 writing4ego@gmail.com
홈페이지 http://egowriting.com
인스타그램 @egowriting

ISBN 979-11-6666-430-4